Dieses Buch gehört

Heidi

~~Heidi~~

Noren Zayan
AA

Katja Frixe

Der zauberhafte Wunschbuchladen

Mit Illustrationen von
Florentine Prechtel

Dressler Verlag · Hamburg

Von Katja Frixe sind bisher im Dressler Verlag erschienen:

Der zauberhafte Wunschbuchladen – Der hamsterstarke Harry (Band 2)
Der zauberhafte Wunschbuchladen – Schokotörtchen für alle! (Band 3)
Rocco & Pepe – Rette sich wer kann!

Für Vera,
die leider viel zu weit weg wohnt,
aber trotzdem immer da ist.

Originalausgabe
4. Auflage
© 2016 Dressler Verlag GmbH,
Poppenbütteler Chaussee 53, 22397 Hamburg
Alle Rechte vorbehalten
Titelbild und Illustrationen: Florentine Prechtel
Satz: Sabine Conrad, Bad Nauheim
Druck und Bindung: CPI books GmbH,
Birkstraße 10, 25917 Leck, Deutschland
Printed 2017
ISBN 978-3-7915-0021-8

www.dressler-verlag.de

Inhalt

Die schlimmste
Katastrophe der Welt

Wenn deine beste Freundin dir erzählt, dass sie bald wegzieht, ist Alarmstufe Rot angesagt. Absoluter Ausnahmezustand. Klar, dass man sich sofort etwas einfallen lassen muss, um das zu verhindern. Und da kann es durchaus passieren, dass man zu Mitteln greifen muss, die ein klitzekleines bisschen verboten sind. Also solche, bei denen die Erwachsenen die Hände über dem Kopf zusammenschlagen oder Sorgenfalten kriegen oder beides gleichzeitig.

Und deshalb wollte ich an dem Tag, an dem meine allerbeste Freundin Lene in den Zug steigen und mit ihrer Mutter in eine neue Stadt ziehen sollte, dafür sorgen, dass sie verschwand. Also Lene, nicht ihre Mutter. Lene war natürlich einverstanden gewesen und hatte mir bei den Vorbereitungen geholfen. Außerdem hatten wir zwei Komplizen. Allerdings keine zwielichtigen Typen, wie man sie aus Gangsterfilmen kennt. Unsere Komplizen waren viel besser, oder sagen wir, vielleicht ein bisschen ungewöhnlicher – denn es handelte sich um einen reimenden Kater und einen sprechenden Spiegel.

Der Kater Gustaf und der Spiegel Herr König lebten im Wunschbuchladen von Frau Eule und genau dort wollte ich Lene verstecken.

Der Plan war eigentlich ganz einfach. Frau Eule kam jeden Morgen gegen acht mit ihrem knallgrünen Fahrrad angefahren, in dessen Korb Gustaf hockte. Sie schloss erst den Buchladen auf, ließ Gustaf hinein und ging dann nach nebenan in die Konditorei, um sich ein paar Schokotörtchen zum Frühstück zu holen.

Diese Gelegenheit wollten Lene und ich nutzen, um heimlich in den Wunschbuchladen zu flitzen. Zum Glück waren noch Sommerferien, und niemand hatte gemerkt, dass wir uns zu einer sehr ferienuntypischen Zeit aus dem Haus geschlichen hatten.

»Und was, wenn wir erwischt werden?«, fragte Lene ungefähr zum hundertsten Mal, seit ich ihr von dem Plan erzählt hatte. Wir kauerten zusammen hinter den stinkigen Mülltonnen neben Frau Eules Laden.

»Das wird nicht passieren«, flüsterte ich zurück – auch zum ungefähr hundertsten Mal, obwohl ich mir selbst nicht ganz sicher war. »Zumindest nicht gleich. Wir verstecken dich, und dann suchen deine Eltern nach dir, und dabei reden sie miteinander, und dann kapieren sie endlich,

dass sie vielleicht auch mal an dich denken müssen und nicht nur an sich selbst.«

Das war nämlich das Problem an der Sache. Lenes Eltern redeten nicht mehr miteinander, seit sich ihr Papa in eine neue Frau verliebt hatte. Ich konnte verstehen, dass Lenes Mutter stinksauer war und keine Lust mehr hatte, hier in unserer Kleinstadt zu leben, wo man sich ständig über den Weg lief. Aber dass sie nun gleich hundert Kilometer wegziehen und dann auch noch Lene mitnehmen wollte, das war einfach nicht in Ordnung.

»Hoffentlich funktioniert das«, sagte Lene. Ich drückte ihre Hand, um uns beiden Mut zu machen.

»Da, sie kommt.« Mein Herz begann, aufgeregt zu klopfen, als Frau Eule ihr Fahrrad gegen den Baum vor ihrem Laden lehnte. Gustaf, der wie immer in dem kleinen Körbchen am Lenker saß, reckte seinen schwarz-grau gestreiften Katzenkopf und sah sich aufmerksam um. Als er uns entdeckte, blickte er schnell in eine andere Richtung.

Lene und ich hielten den Atem an, als Frau Eule pfeifend die Buchladentür aufschloss, Gustaf hineinließ und dann wie jeden Morgen den *Schokohimmel* ansteuerte.

Puh, so weit, so gut.

Herr König schimpfte oft mit Frau Eule, weil sie den Laden offen stehen ließ und jeder Hinz und Kunz die Buchhandlung ausräubern könnte, aber sie strich dann einfach über seinen dicken Goldrahmen und sagte: »Mein bester Spiegel, Bücher kann man nicht stehlen. Sie kommen immer zu ihrem Besitzer zurück.«

Und meistens beruhigte sich Herr König danach ganz schnell wieder.

Kaum war Frau Eule in der Konditorei verschwunden, sprangen Lene und ich auf.

»Ich halte Wache«, rief Herr König, als wir in den Laden stürmten und die Kinderbuchabteilung ansteuerten.

Gustaf sprang aufgeregt hinter uns her und maunzte

immer wieder: »Ich werd verrückt! Das ist ja wie in einem echten Krimi!«

Lene war als Erste bei der Seilleiter und kletterte blitzschnell nach oben auf die hölzerne Empore mit dem Geländer. Das war das Reich der Kinder in Frau Eules Laden und für Lene und mich gab es keinen schöneren Ort auf der Welt. Wir hatten schon ganze Tage auf den dicken Sitzsäcken gesessen und unsere Lieblingsbücher gelesen. Nur heute würde hier keiner schmökern, dafür musste ich sorgen.

»Leg dich flach auf den Bauch an die Wand«, flüsterte ich, und Lene drückte sich auf den Boden, genau so, wie wir es gestern besprochen hatten. Ich schob zwei Sitzsäcke vor sie, bis nichts mehr von ihr zu sehen war.

»Gut so?«, fragte ich Gustaf, der jetzt an der Ladentür stand und mit seinen grünen Katzenaugen in unsere Richtung blickte.

»Nicht eine Haarsträhne lugt hervor!«, verkündete er. »Perfekt!«

»Alles klar bei dir, Lene?«, fragte ich.

Zurück kam ein dumpfes »Hmpf«, was ich als Ja deutete.

Mir fiel ein Stein vom Herzen, denn der erste Teil

unserer Mission war erfüllt. Jetzt musste Lene nur so lange unentdeckt bleiben, bis ihre Eltern anfingen, nach ihr zu suchen. Gemeinsam! Schnell kletterte ich von der Empore hinunter. Keine Sekunde zu früh.

»Achtung, Frau Eule im Anflug!«, dröhnte Herr Königs laute Stimme durch den Laden, woraufhin ich mich in den Sitzsack am Fuße der Leiter fallen ließ, mir ein Buch schnappte und so tat, als würde ich lesen.

Gustaf sprang auf seinen Stammplatz, einen grünen Sessel vor dem Regal mit den Gedichtbänden, rollte sich zusammen und kniff die Augen zu. »Ich tue so, als würde ich schlafen«, zischte er, bevor sich die Tür mit lautem Gebimmel öffnete.

»Einen wunderschönen guten Morgen«, ertönte Frau Eules glockenhelle Stimme, als sie, beladen mit einer großen Papiertüte aus der Konditorei, in den Laden kam. Sie schleuderte ihre Schuhe von den Füßen und in eine Ecke, denn für Frau Eule gab es nichts Schöneres, als barfuß herumzulaufen.

Obwohl ich keinen Mucks gemacht hatte, wanderte ihr Blick sofort in meine Richtung. »Clara!«, rief sie freudig, und auf ihrem Gesicht breitete sich ein Lächeln aus. »Konntest du nicht mehr schlafen oder was treibt dich in den Ferien so früh aus dem Haus?« Sie hielt ihre Nase in die Luft und schnupperte. »Wonach riecht es denn hier?«

Kurz hatte ich Angst, Frau Eule hätte Lenes Anwesenheit mit ihrer Spürnase erschnüffelt, denn so etwas war ihr durchaus zuzutrauen. Doch dann roch ich es auch. Es duftete irgendwie lecker nach Zimt und Mandarinen. »Ich kann mir schon denken, woher das kommt«, sagte Frau Eule, die sich offenbar nicht mehr für meine Antwort auf ihre Frage interessierte. Sie stellte die Tüte auf den Tresen und stapfte entschlossen zum Regal mit den Backbüchern. Sie fuhr mit ihrer Nase an der Reihe entlang, bis sie schließlich vor einem schmalen Band innehielt. »Wusst ich's doch!« Sie zog ein kleines Buch hervor und sagte streng: »Wir öffnen erst in einer Stunde. Dann kannst du von mir aus damit anfangen, auf dich aufmerksam zu machen. Ich habe nicht den geringsten Zweifel daran, dass dich sofort jemand kaufen will.« Sie stellte das Buch zurück. »Reiß dich aber bitte noch kurz zusammen, ja? Wenn auch die Kochbücher jetzt schon mit ihren Gerüchen loslegen, glauben die Leute am Ende, sie wären in einem Restaurant gelandet und nicht in einem Buchladen.«

Ich fand es schon lange nicht mehr ungewöhnlich, dass Frau Eule mit den Büchern sprach. Oder dass die Bücher plötzlich zu duften begannen oder sich auf irgendeine andere Art bemerkbar machten. Das hier war eben Frau Eules zauberhafter Wunschbuchladen.

Frau Eule erfüllte in ihrem Laden Buchwünsche, bevor man überhaupt wusste, dass man sie hatte. Denn zum einen hatte Frau Eule ein erstaunliches Gespür dafür, in welcher Stimmung ihre Kunden gerade waren. Sie sah sofort, ob jemand gute Laune hatte oder schlechte, ob er glücklich war oder traurig. Zum anderen bekam sie Unterstützung von Herrn König, der aufgrund seiner jahrelangen Erfahrung als Spiegel ins Innerste der Menschen blicken konnte und dort manchmal auf Dinge stieß, die normalerweise nach außen hin verborgen blieben.

Jetzt wandte Frau Eule sich wieder an mich. »Und deine Welt steht heute wohl Kopf, was?«

Ich spürte, dass ich rot wurde – sah sie mir etwa an, dass ich etwas zu verbergen hatte? Dass ich Lene oben auf der Empore versteckt hatte?

»N-nein«, stotterte ich. »Eigentlich ist alles okay.«

»Das war meine Idee«, mischte sich Herr König

ein. »Weil Clara noch etwas müde wirkte, gab ich ihr den Tipp, das Buch einfach mal falsch herum zu lesen. Das strengt die Gehirnzellen an und weckt die Lebensgeister.«

Erst jetzt bemerkte ich, dass die Schrift vor meinen Augen auf dem Kopf stand.

»Genau«, pflichtete ich ihm deshalb bei. »Danke, Herr König! Ich fühle mich auch schon viel wacher als noch vor fünf Minuten.«

Ich nickte dem Spiegel zu, den ich heute noch nicht einmal ordentlich hatte begrüßen können. Herr König war etwa zwei Meter hoch und einen Meter breit und hatte einen dicken Goldrahmen. Er hatte den besten Platz hier im Laden, denn er lehnte an der Wand gegenüber der Eingangstür und sah immer als Erster, wer den Laden betrat.

»Na, da bin ich aber beruhigt, Clara!«, sagte Frau Eule. Dann beugte sie sich über die Kasse und streckte ihren Zeigefinger aus. »Und was machst *du* hier? Zurück aufs Buch mit dir!«

Ich sah einen kleinen, gelben Schmetterling, der aufgeregt mit den Flügeln schlug, als Frau Eule ihn sanft auf ihre Handfläche schob. »Wie sollen die Leute denn auf dein wunderbares Buch aufmerksam werden, wenn auf dem Umschlag nur eine weiße Fläche zu sehen ist?«

Frau Eule ging an eines der Regale und pustete den Schmetterling von ihrer Handfläche auf das Buch zurück.

Dann schüttelte sie den Kopf. »Seltsam. Was ist denn heute los? Ist irgendwas anders als sonst, dass die Bücher so aufgeregt sind?« Sie ließ ihren Blick nachdenklich durch den Laden schweifen, und ich bekam vor lauter Aufregung ganz nasse Hände, denn ich war mir sicher, dass unser Versteckspiel auf-fliegen würde, bevor es überhaupt richtig begonnen hatte.

»Ich hab's, ich hab's!«, schrie Gustaf plötzlich aus heiterem Himmel, und Frau Eules Blick schweifte nicht länger herum, sondern wanderte zum grünen Sessel. Ich dankte dem Kater stumm für dieses Ab-lenkungsmanöver.

»Ich dachte, du schläfst«, sagte Frau Eule lachend und setzte sich zu ihm.

»Ja«, maunzte er. »Aber ich

habe geträumt, wie ich reich und berühmt werden könnte, und da bin ich aufgewacht.«

»Und wie willst du das anstellen?«, fragte Herr König mürrisch.

»Ich werde ein Buch schreiben. Wie findet ihr das? Ich habe auch schon einen Titel: ›Gustafs Reime für Große und Kleine‹.«

»Etwas Langweiligeres ist dir wohl nicht eingefallen, was?«, brummte der Spiegel.

»Warum?«, fragte Gustaf. »Ich kann hervorragend reimen und habe darüber hinaus ein sehr bewegtes Leben. Im Gegensatz zu dir. Du stehst nur rum und kommst nicht vom Fleck.«

Ich konnte mir ein Grinsen nicht verkneifen. Gustaf und Herr König hackten ständig aufeinander herum.

Frau Eule stand auf, klatschte in die Hände und rief: »Schluss mit all den Streitereien. Ihr wisst ja …«, und an dieser Stelle stimmten wir alle mit ein, »… heute ist kein Tag für schlechte Laune.« Diesen Satz sagte Frau Eule oft, und tatsächlich fühlte man sich auch immer fröhlich, wenn man eine Weile im Laden war. Selbst heute war das so, trotz Lene oben auf der Empore und ihres drohenden Umzugs.

Ob das nun an Frau Eule lag oder an ihren merkwürdigen Mitbewohnern oder den vielen Büchern, war schwer zu sagen, auf jeden Fall war der Buchladen mein absoluter Lieblingsort. Er befand sich nicht weit von unserem Haus entfernt, und ich verbrachte hier wahrscheinlich mehr Zeit als bei meiner Familie, also meinen Eltern, meinen beiden Brüdern Jakob und Finn und meiner Oma. Die behauptet in letzter Zeit öfter mal, dass es den Buchladen und Frau Eule schon gegeben habe, als sie selbst in meinem Alter war, also zehndreiviertel, aber Papa sagt, das sei Unsinn, und Oma werde langsam senil. Vermutlich denkt er das, weil die Buchhändlerin höchstens so alt aussieht wie Mama.

Frau Eule hat lange, dunkelblonde Haare, die sie sich meistens zu einem wirren Knoten hochbindet, grüne Augen mit ganz vielen kleinen Fältchen drum herum, eine etwas zu groß geratene Nase und einen Mund, der eigentlich immer lacht. Oder zumindest lächelt. Außerdem trägt sie häufig grüne Kleider, weil Kleider so bequem sind und grün ihre Lieblingsfarbe ist.

Aber so jung Frau Eule auch aussieht, irgendwie kann es schon sein, dass Oma recht hat. Denn

in Frau Eules Buchladen läuft die Zeit anders als
überall sonst, so viel steht mal fest. Heute verging
sie zum Beispiel total langsam. Mir kam es so vor,
als wäre Lene schon seit Stunden in ihrem Versteck
auf der Empore, dabei waren es gerade mal zwanzig
Minuten. Umgekehrt ging es aber auch, zum Beispiel wenn ich dachte, ich hätte nur kurz in ein paar
Büchern geblättert, und dann blickte ich aus dem
Schaufenster nach draußen und es war schon dunkel.

Frau Eule verschwand jetzt in ihrem Büro und kam
sofort mit einem Tablett zurück. Darauf standen
zwei Teller mit jeweils einem Schokotörtchen darauf.
»Eins für dich und das andere …«, sie zwinkerte mir
zu, »… für wen auch immer.«
  Ich dachte lieber nicht weiter darüber nach, was sie
mit dieser Andeutung meinte. Stattdessen erhob ich
mich aus dem Sitzsack und ging an den vollgestopf-
ten Regalen vorbei zum Tresen. Der Laden hatte
fast etwas vom Wohnzimmer einer sehr belesenen
alten Dame, die unzählige Bücher besaß. Trotzdem
behielt Frau Eule immer den Überblick und wusste
genau, wo welches Buch stand. Und falls sie es doch
mal vergessen haben sollte, konnte sie sich sicher

20

sein, dass das Buch irgendwann auf sich aufmerksam machte.

Zwischen den Regalen standen noch zwei Tische, auf denen Frau Eule jeden Monat ihre neuen Lieblingsbücher ausstellte, gerade alles zum Thema Frankreich. Also Reiseführer, Bücher französischer Autoren und Kochrezepte. Passend dazu ließ sie im Hintergrund CDs mit französischen Chansons laufen. Und inmitten all der Bücher gab es immer ein paar grüne Blickfänge (so nannte Frau Eule sie) im Laden, das waren die Lampen, Gustafs Sessel, in dem er gerne vor sich hin döste, wenn nichts im Laden los war, und die Sitzsäcke in der Kinderbuchecke.

Frau Eule begann, einen Stapel Bücher in das Regal neben der Kasse zu räumen. »Hier«, sagte sie und legte mir eines vor die Nase. »Wäre das nicht etwas für Lene?«

Als Frau Eule Lenes Namen erwähnte, zuckte ich kurz zusammen und starrte dann auf den Klappentext des Buchs, ohne ihn wirklich zu lesen. »Ja«, sagte ich. »Stimmt. Kann ich ihr ja mitnehmen, wenn ich mich nachher von ihr verabschiede.« Ich schluckte. Oh bitte, dazu durfte es nicht kommen.

»Das ist bestimmt nicht leicht für euch, oder?«

Frau Eule sah mich mit ihren grünen Augen so intensiv an, als würde sie in meinem Kopf selbst nach einer Antwort suchen.

»Haaaaatschi!«, machte Gustaf übertrieben laut, doch diesmal ließ sich Frau Eule nicht von ihm ablenken, sondern hielt ihren Blick weiter auf mich gerichtet.

Ich wollte gerade etwas sagen, da flog die Ladentür auf, und es kam ein Kunde hereingestürzt, der es besonders eilig zu haben schien. Jeder hier im Viertel wusste, dass Frau Eule das mit den Öffnungszeiten nicht so eng sah und man auch schon mal etwas früher auftauchen konnte.

Als ich mich umdrehte, musste ich feststellen, dass es leider kein normaler Kunde war, der da den Laden betrat, sondern mein Vater. Er trug Hausschuhe und seine Schlafanzughose, dazu seine peinliche Baseballkappe mit der Aufschrift »I love Dad«, die mein älterer Bruder Finn ihm letztes Jahr von einem Schüleraustausch aus den USA mitgebracht hatte.

»Clara!«, rief Papa und stürzte auf mich zu. »Hier bist du! Warum liegst du nicht in deinem Bett und schläfst? Und was sollte dieser Zettel: *Macht euch*

keine Sorgen?« Er stampfte mit dem Fuß auf. »Ich hab mir aber Sorgen gemacht. Und Mama und Oma und …«

»Tut mir leid«, sagte ich zerknirscht, und das stimmte sogar ein bisschen. »Ich konnte nicht mehr schlafen und zu lesen hatte ich auch nichts … Deshalb bin ich zu Frau Eule gegangen.«

Papa drückte mich mit einem Arm an sich und griff mit der anderen Hand nach einem Schokotörtchen, das mit einem Happs in seinem Mund verschwand.

»Und wo ist Lene?«, fragte er streng.

»Keine Ahnung!«, brachte ich hervor. »Woher soll ich das wissen?«

»Na ja«, sagte Papa und tat so, als würde er ganz angestrengt nachdenken. »Vielleicht, weil sie deine beste Freundin ist? Und weil sie genau wie du an einem Sommerferienmorgen schon vor sieben Uhr aus dem Bett verschwunden ist, was wir wissen, weil ihre Mutter bei uns angerufen hat? Und weil Lene zufälligerweise genau den gleichen Zettel hinterlassen hat wie du?«

Oh nein. Lenes Mutter sollte doch nicht bei uns anrufen, sondern bei Lenes Papa!

»Ich …«, stammelte ich und biss mir auf die Lippen. Da krachte es über mir.

Mein Vater zuckte zurück und sah sich nach dem Geräusch um. »Was macht denn dieser verrückte Kater da?«

Gustaf war ganz oben auf das Regal mit den Gedichtbänden gesprungen und versuchte, mit der Tatze ein Buch herauszuschieben. »Genau dieses Buch habe ich schon ewig gesucht«, sagte er, doch das konnten nur Frau Eule und ich hören. Das war eine weitere Merkwürdigkeit in diesem Laden. Es gab einen sprechenden Kater und einen sprechenden Spiegel, doch verstehen konnten sie nur Frau Eule und ich und sonst niemand, nicht mal Lene. Ich hatte keine Ahnung, warum das so war, aber jedes Mal, wenn ich Frau Eule fragte, stellte sie eine Gegenfrage zurück: »Warum musst du das wissen? Würde es etwas ändern?«

Darauf hatte ich keine Antwort, also beließ ich es irgendwann dabei und dachte nur hin und wieder darüber nach, wenn ich abends im Bett lag.

»Der Kater sucht ein gutes Buch für Sie, Herr Jacobsen«, sagte Frau Eule sanft und drückte Papa das zweite Schokotörtchen und den Gedichtband in die Hand. »Hier, für den Weg. Sie haben sicher noch nicht gefrühstückt. Sagen Sie bitte Lenes Mutter, dass sie am besten Lenes Rat folgt. Ohne Sorgen ist das Leben doch so viel leichter, oder?«

Papa nickte und starrte den Gedichtband an. »Das stimmt. Aber ist Lene nicht …« Er schaute sich zweifelnd um.

»Sehen Sie denn Lene hier irgendwo?«, fragte Frau Eule.

Papa schüttelte den Kopf. »Nein, das tue ich nicht«, sagte er, schon fast überzeugt.

Ich bemühte mich, nicht zur Empore zu schauen. Hoffentlich musste Lene jetzt nicht niesen oder husten oder sonst irgendwas.

Frau Eule ließ sich von all dem nicht beirren und klatschte einmal in die Hände, sodass ihr silbernes Armband mit den kleinen, glitzernden Anhängern klimperte.

»Sie gehen jetzt am besten nach Hause«, sagte sie zu meinem Vater. »Und sobald wir etwas von Lene hören, melden wir uns, in Ordnung?«

Ich wusste gar nicht, wohin ich gucken sollte, so ein schlechtes Gewissen hatte ich. Alle machten sich Sorgen um Lene und ich hielt einfach meine Klappe.

Andererseits hatten wir uns den Plan ja nicht ausgedacht, um unsere Eltern zu ärgern. Im Grunde genommen war Lenes Papa schuld an diesem Kuddelmuddel. Und seine neue Freundin. Also starrte ich nur trotzig auf den Boden, als mein Vater den Laden wieder verließ.

»Puh«, sagte Gustaf. »Das ist ja gerade noch mal gut gegangen.«

Frau Eule legte den Arm um mich und seufzte. »Jetzt muss ich aber noch mal schnell nach nebenan verschwinden«, sagte sie und nahm ihre Tasche. »Ich habe das Gefühl, dass wir unbedingt noch ein paar von diesen Schokotörtchen brauchen. Und ihr«, sie sah nacheinander Herrn König, Gustaf und schließlich mich an, »befreit Lene in der Zwischenzeit aus ihrem Versteck, einverstanden?«

Schokotörtchen und beste Freundinnen

Es dauerte bestimmt zwanzig Minuten, bis Frau Eule aus dem *Schokohimmel* zurückgekommen war, und der Grund dafür balancierte jetzt vor uns auf einem riesengroßen Teller: Schokotörtchen, Schokokekse, Schokomuffins, mit Sahne gefüllte Schokoröllchen, ein mit Schokolade überzogener Nugatberg, mit Vanillepudding gefüllter Schokokuchen, Donuts mit Schokosplittern – Frau Eule hatte anscheinend den ganzen *Schokohimmel* leer gekauft. Der Teller stand jetzt auf der Empore in der Kinderbuchabteilung, und Frau Eule, Lene, Gustaf und ich saßen drum herum. Frau Eule hatte noch schnell *Vorübergehend geschlossen* auf einen Zettel gekritzelt und diesen an die Ladentür gehängt, bevor sie zu uns hochgekommen war.

»Hätte ich mir ja eigentlich denken können, dass ihr euren letzten gemeinsamen Tag auf *eure* Art gestaltet«, sagte sie lächelnd.

Lene sah aus, als sei sie gerade einem Geist begegnet, so blass war sie. »Schöner Mist«, hatte sie gemurmelt, als ich sie aus ihrem Versteck befreit hatte, seitdem war kein Mucks mehr aus ihrem Mund gekommen. Uns war natürlich klar gewesen, dass das Versteckspiel nicht lange gut gehen würde, aber jetzt war unser Plan ja nicht mal ein bisschen aufgegangen. Nun war klar, dass es kein Zurück mehr gab, dass meine beste Freundin in ein paar Stunden mit ihrer Mutter in den Zug steigen musste und wir uns erst mal für eine lange Zeit nicht sehen würden. Ich hatte schon oft von Leuten mit Liebeskummer gelesen und mich immer gefragt, wie sich das anfühlt. Jetzt war ich mir ziemlich sicher, es zu wissen. Denn seine beste Freundin hergeben zu müssen, ist so etwas Ähnliches wie Liebeskummer. Vielleicht ist es sogar noch schlimmer. Man fühlt sich ganz schwer, das Herz schlägt nicht mehr richtig im Takt und man ist einfach unendlich traurig.

»Am liebsten hätte ich mit euch ein schönes Abschiedsfest gefeiert«, sagte Frau Eule. »Mit bunten Girlanden und Luftballons und Schokotörtchen und … mit etwas Wehmut zwar, aber trotzdem auch mit Frohsinn.«

Sie hob den Teller vorsichtig an und hielt ihn uns vor die Nase. »Dann eben nur Schokotörtchen und ein bisschen Wehmut, einverstanden?«

Lene und ich starrten auf den Schokoberg – aber irgendetwas hinderte uns daran, einfach eine Hand auszustrecken und eines dieser köstlichen Teilchen in den Mund zu stopfen. Vielleicht hatten wir Angst, den Moment damit zu zerstören – irgendeine unsichtbare Taste zu drücken, die dafür sorgte, dass die Zeiger der Uhr sich weiterdrehten, bis es 16:03 Uhr war und Lenes Zug aus dem Bahnhof rollte.

Doch jemand anders kannte diese Sorge nicht. Gustaf stellte sich auf die Hinterbeine, um einen besseren Blick auf den Kuchen zu erhaschen, und reckte seinen Hals dabei so weit nach vorne, dass er das Gleichgewicht verlor und mit der Schnauze in einem Schokosahnehäubchen landete. Lene fing an zu kichern, und das war so ansteckend, dass ich gleich mitkichern musste. Als Gustaf sich jetzt auch noch empört zu uns umdrehte und versuchte, sich mit der Zunge die Sahne aus dem Gesicht zu schlecken, prustete ich richtig los. Ich ließ mich in den Sitzsack zurückfallen und hielt mir den Bauch, Lene schmiss sich grunzend neben mich und wischte sich irgendwann zwei oder drei Tränen weg, von denen ich nicht wusste, ob sie vom Lachen kamen oder ob sich vielleicht doch ein bisschen Weinen dazwischengemischt hatte. In jedem Fall veranstalteten wir ein bühnenreifes Grunz-, Prust- und Schnaufkonzert, an dessen Ende wir uns erschöpft anblickten und wahrscheinlich beide dasselbe dachten: wie gut es war, eine beste Freundin zu haben, und wie sehr wir einander vermissen würden.

Gustaf hatte sich inzwischen von den letzten Sahneresten befreit und grinste. »Seht ihr! Wozu so ein Katerchen gut sein kann. *Mit Gustafs Quatsch wird schlechte Laune zu Matsch!* Und jetzt nehmt euch endlich Kuchen!«

Lene und ich ließen unsere Blicke wieder über den Teller schweifen und griffen dann beide nach dem Nugatberg. »Du zuerst!«, sagten wir gleichzeitig, und dann mussten wir schon wieder lachen.

»Manchmal muss man erst am Gipfel der Traurigkeit ankommen, um den Berg mit Schwung wieder hinunterzusausen und seine Augen für das Schöne ringsherum öffnen zu können«, sagte Frau Eule lächelnd.

Ab und zu drückte sie sich etwas merkwürdig aus, aber ich konnte mir in etwa vorstellen, was sie meinte. Ich wusste nicht, wie es werden würde, so ohne Lene. Die Stadt, in die sie und ihre Mutter ziehen würden, war anderthalb Stunden mit dem Zug weg. Wir würden uns besuchen können, klar, aber das war etwas ganz anderes, als sich jeden Tag zu sehen und zusammen in die Schule zu gehen. Schule ohne Lene, das war wie Frau Eules Laden … ohne Gustaf und Herrn König.

Nachdem wir den Teller fast leer gegessen hatten, stand Frau Eule auf und klatschte in die Hände. »Es wird Zeit, Kinder. Wir bringen Lene jetzt nach Hause«, sagte sie.

»Kann ich nicht noch ein bisschen bleiben?«, fragte Lene. »Es dauert doch noch, bis der Zug abfährt.«

»Aber deine Mutter macht sich Sorgen«, erklärte Frau Eule. »Und es gibt bestimmt noch ein paar

Dinge zu erledigen.« Sie machte sich auf den wackligen Weg nach unten. »Na los, kommt schon! Ich habe noch eine Überraschung für euch!«

Auf Lenes Gesicht breitete sich ein Grinsen aus. »Ich liebe Überraschungen!«, rief sie, und dann kletterten wir ebenfalls nach unten.

»So, und jetzt baut ihr euch bitte vor Herrn König auf«, sagte Frau Eule.

»Uh, das ist mir eine Ehre«, raunte der Spiegel.

Ich sah Frau Eule fragend an, und auch Lene wusste nicht, worauf sie hinauswollte.

»Vor Herrn König?«

Frau Eule nickte und lächelte wissend.

Lene und ich tauschten einen Blick, dann zuckten wir beide mit den Schultern und stellten uns mit hängenden Armen vor den Spiegel.

»So?«, fragte ich.

»Doch nicht so!«, rief Gustaf entrüstet. »Ein bisschen mehr Haltung bitte, ja?«

Frau Eule zwinkerte uns verschwörerisch zu. »Ihr müsst wissen, das Bild, das ihr im Spiegel seht, wird euch bleiben.«

Keine Ahnung, ob es unterschiedlichere beste Freundinnen gab als uns, auf jeden Fall war bis auf die Frisur nichts an uns gleich: Meine Augen waren grün, Lenes braun, Lene trug eine Brille, ich nicht, Lene hatte dunkle Haare, ich helle, außerdem war Lene ein bisschen kleiner als ich und liebte knallige Farben wie Pink und Gelb, während ich am liebsten jeden Tag meinen dunkelblauen Pullover mit den kleinen silbernen Sternchen angezogen hätte.

»Sollen wir irgendwas machen?«, fragte Lene Frau Eule. Die zuckte nur mit den Schultern und sagte: »Eure Entscheidung. Euer Bild!«

Ich verstand nicht richtig, was sie damit meinte, aber Lene war schneller als ich. Sie legte den Arm um mich und tat so, als würde sie mir einen Kuss auf die Wange geben. Ich musste kichern und umarmte sie ganz fest, woraufhin sie eine lustige Grimasse zog.

»Schon viel besser«, brummte Herr König zufrieden.

Jetzt begann ich zu schielen und streckte die Zunge raus, und so ging das immer weiter, bis wir uns vor dem Spiegel verrenkten und auf und ab hüpften und irgendwann lachend auf dem Boden lagen. Auch Gustaf und Herr König lachten, was Lene aber natürlich nicht hören konnte.

»Ich denke, jetzt seid ihr gewappnet für euren Abschied«, sagte Frau Eule und half uns hoch. »Und für die Zeit, in der ihr euch nicht seht, habe ich das hier.«

Sie reichte uns jeweils ein Buch, auf dessen Cover zwei herumalbernde Mädchen zu sehen waren, die ihre Hände auf die Knie gestützt und ihre Münder lachend aufgerissen hatten, während zwischen ihnen ein gelber Schmetterling flatterte. Diese Mädchen waren Lene und ich, so wie wir gerade vor dem Spiegel gestanden hatten. Lene sah Frau Eule überrascht an, doch ich hatte aufgehört, die Buchhändlerin zu fragen, wie sie solche Sachen anstellte – warum Bücher dufteten, Teile davon durch den Laden schwebten oder warum ich Gustaf und Herrn König sprechen hören konnte. Im Wunschbuchladen passierten solche Dinge einfach.

Ich schlug das Buch auf und sah nichts als leere Seiten.

»Das sind zwei ganz besondere Freundinnenbücher«, erklärte Frau Eule. »Nutzt sie, um euch gegenseitig zu schreiben – was ihr macht, wie ihr euch fühlt, welche Gedanken euch durch den Kopf gehen. Ich verspreche euch, dass ihr glaubt, die andere würde neben euch sitzen, während ihr in euer Buch schreibt.« Frau Eule legte einen Arm um mich und einen um Lene und drückte uns an sich. »Ihr seid bald zwar räumlich getrennt. Aber im Herzen bleibt ihr verbunden wie eh und je.«

Frau Eule hatte wirklich immer die allerbesten Ideen. »Danke«, sagte ich und strich über den Einband mit unserem Foto.

Lene schluckte. »Danke. Damit wird es vielleicht nicht ganz so schwer.«

Hoffentlich hatte Lene recht. Ich würde es jedenfalls gleich heute Abend ausprobieren.

Drei Stunden später stand ich mit Mama auf dem Bahnsteig und starrte dem davonrollenden Zug hinterher, in dem meine allerbeste Freundin saß und ohne mich in ein neues Leben fuhr.

»Es tut mir so leid«, sagte Mama hilflos und drückte meine Hand. Sie hatte sich extra freigenommen, um mit mir zum Bahnhof zu fahren, was ziemlich ungewöhnlich war, weil meine Mutter sich eigentlich nur mal Urlaub gönnte, wenn einer von uns ganz schlimm krank war. Sie arbeitete in einer Anwaltskanzlei und hatte immer viel zu tun.

»Es wird besser«, sagte sie. »Glaub mir.«

»Wann kann ich Lene besuchen?«, fragte ich.

»Jetzt lass sie erst mal in Ruhe in ihrem neuen Zuhause ankommen, ja? Dann besprechen wir alles.«

Ich versuchte, den Kloß in meinem Hals hinunterzuschlucken. Der Zug schlängelte sich über die Gleise und war schon fast in der Ferne verschwunden.

»Eure Freundschaft ist etwas ganz Besonderes«, sagte Mama. »Weil ihr zwei etwas ganz Besonderes seid.« Sie gab mir einen Kuss auf die Stirn. »Und das wird auch so bleiben.«

Ich kuschelte mich fest an sie und atmete ihren ganz speziellen Mama-Duft ein, der mir, egal, was passierte, immer das Gefühl vermittelte, alles würde gut werden.

Mama streichelte mir den Kopf. »Einen richtigen Trost gibt es nicht, Clara. Deine beste Freundin ist weggezogen und das ist einfach nur ganz, ganz schlimm. Um nicht zu sagen, richtig … Mist!« Ich befreite mich aus unserer Umarmung und sah sie erstaunt an, denn normalerweise benutzte Mama in unserer Gegenwart nie Schimpfwörter.

»Ja, du hast richtig gehört«, fuhr sie fort. »So etwas

ist wirklich ein riesengroßer ... Na gut, ich habe es ja gerade schon gesagt. Und deswegen ...«, sie setzte einen feierlichen Blick auf, »darfst du dir etwas wünschen. Ich habe den ganzen Nachmittag frei, und wir unternehmen alles, worauf du Lust hast.«

Jetzt war ich ganz schön in der Zwickmühle. Ich wusste, was es bedeutete, wenn Mama sich mal einen Tag Urlaub nahm, und ich fand es toll, dass sie extra Zeit für mich eingeplant hatte. Aber eigentlich wollte ich viel lieber wieder in den Buchladen. Mich mit einem Schmöker in einen der Sitzsäcke kuscheln und alles um mich herum vergessen. Ich wusste, dass das die beste Ablenkung war, und genau das erklärte ich Mama auch.

Sie sah mich etwas verdutzt an. »Kein Eis? Oder ins Schwimmbad?«

Ich schüttelte den Kopf. »Vielleicht am Wochenende? Heute habe ich irgendwie keine Lust.«

Mama dachte kurz nach. »Verstehe«, sagte sie schließlich und lächelte. »Wäre es denn in Ordnung, wenn ich dich zu Frau Eule bringe, mir ein Buch mitnehme und euch dann allein lasse?«

»Das wäre in Ordnung«, sagte ich zufrieden und drückte sie noch einmal ganz fest.

Es dauerte keine zehn Minuten, bis wir wieder im Buchladen standen und Frau Eule uns begrüßte, als hätte sie uns ewig nicht gesehen. »Oh là là, gut, dass Sie da sind! Für Sie habe ich nämlich schon seit ein paar Tagen zwei ganz zauberhafte Bücher im Visier«, flötete sie und zwinkerte Mama verschwörerisch zu. Ein dumpfer Knall ließ mich vermuten, dass genau diese beiden Bücher sich gerade selbst aus dem Regal befördert hatten. Frau Eule nahm Mamas Hand und zog sie in den hinteren Teil des Ladens. Das war mir nur recht, denn so konnte ich mich auf die Empore verkrümeln und mit dem Buch beginnen, das Frau Eule mir schon hingelegt hatte, als hätte sie geahnt, dass ich noch mal wiederkomme.

Ich kuschelte mich in einen Sitzsack, fuhr mit der Hand über die glatte Oberfläche des Buchs und atmete tief ein. Diese Mischung aus Bücherduft (ich hatte keinen anderen Namen dafür), Kaffee (den trank Frau Eule literweise) und Blumen (ein frischer Strauß stand immer auf dem Sims hinter Frau Eules Verkaufstresen) gab es nur hier im Wunschbuchladen. Ich schlug das Buch auf und begann zu lesen. Frau Eule hatte das Talent, immer die Geschichten auszu-suchen, die mich sofort in den Bann zogen. Ich ließ

40

meinen Blick nicht länger durch den Laden schweifen, hörte das fröhliche Gequatsche von Mama und
Frau Eule nicht und dachte auch nicht mehr an den
traurigen Abschied von meiner besten Freundin.
Zumindest für eine kurze Zeit.

Erst als das Glöckchen über der Ladentür bimmelte und ein lautes »Tschüüüss!« ertönte, tauchte
ich wieder auf und sah meine Mutter gerade noch
verschwinden.

»Na, lenkt dich das Buch wenigstens ein bisschen
ab?«, fragte Gustaf von unten und tigerte vor dem
Schaufenster hin und her.

»Auf jeden Fall«, sagte ich. »Da hat Frau Eule mal
wieder den richtigen Riecher gehabt!«

»Stinkende Viecher sind nichts für den Riecher«,
reimte Gustaf und lachte. »Wieder ein neuer Reim
für das Buch, an dem ich arbeite.«

»Andere Leute arbeiten ruhig vor sich hin und stö-
ren niemanden dabei«, polterte Herr König, doch als
Frau Eule in die Hände klatschte, war er sofort still.

Während Gustaf Ausschau nach Kunden hielt,
konnte ich mich plötzlich gar nicht mehr auf das Ge-
schriebene vor mir konzentrieren. Jetzt musste ich
doch wieder an Lene denken, und ich fragte mich,

wie ich übermorgen den ersten Schultag ohne sie überstehen sollte. Da konnte ich mich ja schlecht in die Ecke setzen und in einem Buch verkriechen!

Eigentlich war der erste Schultag nach den Sommerferien einer meiner Lieblingstage. Die meisten Kinder hatten gute Laune und freuten sich, die anderen wiederzusehen, und alle erzählten, wo sie im Urlaub gewesen waren oder was sie in den sechs Wochen Tolles erlebt hatten. Außerdem fanden Lene und ich es immer spannend, wer sich über die Ferien verändert hatte, also wer zum Beispiel plötzlich Pickel hatte oder eine neue Frisur. Irgendetwas gab es eigentlich immer zu entdecken. Aber dieses Mal hatte ich niemanden, dem ich heimlich etwas ins Ohr flüstern konnte, niemanden, der mit mir sein Pausenbrot teilte (Lenes war immer mit Nutella beschmiert, meins nur mit Leberwurst), und keiner würde sich mit mir über Vivi und Sarah aufregen.

Ich legte das Buch beiseite und kletterte die Strickleiter runter. »Wenn Lenes doofer Vater Daniel diese Inke Rose nicht getroffen hätte, wäre das alles nicht passiert«, schimpfte ich vor mich hin.

Inke Rose war der Name der Frau, in die sich Lenes Papa verliebt hatte. Wegen der Lenes Mutter weggezogen war. Ich hatte sie nur einmal gesehen, aber das hatte mir gereicht. Sie war mit Lenes Papa Arm in Arm durch den Park spaziert und hatte beim Lachen immer so albern ihren Kopf nach hinten geworfen. Total affiges Getue.

»Inke Rose, faule Aprikose, schwarze Stinkehose«, reimte Gustaf, und ich musste lachen.

»Aber wirklich!«, sagte ich, strich mit den Fingern an einer Buchreihe entlang und setzte mich dann auf Gustafs grünen Sessel. »Die ist 'ne echte Stinkehose!«

Herr König räusperte sich. »Ruhe, ihr beiden«, sagte er. »Kundschaft naht.« Da öffnete sich auch schon die Ladentür.

»In dieser schönen Stunde der fünfte und der sechste Kunde!«, schrie Gustaf aufgeregt und setzte sich genau vor Herrn König.

»He, verschwinde!«, beschwerte der sich. »Du versperrst mir die Sicht!«

»Jetzt hört doch mal auf zu streiten!«, rief ich von meinem Platz aus und klatschte in die Hände wie Frau Eule vorhin.

Plötzlich wurde es mucksmäuschenstill, und ich hatte dieses Gefühl, das man hat, wenn man allein vorne an die Tafel muss und die Antwort nicht weiß. Als ob einen alle anstarren. Mein Blick wanderte zur Ladentür. Und mit einem Schlag schoss mir die Röte ins Gesicht, denn da standen Vivi und Sarah.

Wenn Lene meine allerallerbeste Freundin war, dann war Vivi meine allerallerschlimmste Feindin. Sie war das fieseste Mädchen, das ich kannte. Und egal, wie man sich wehrte – Vivi schaffte es immer,

noch gemeiner zu sein. Zu den Lehrern war sie natürlich supernett, und zu Sarah, die immer exakt das tat, was Vivi von ihr verlangte.

»Mit wem redest du?«, fragte Vivi abfällig und ließ ihren Blick durch den Laden schweifen. »Hier ist doch niemand!«

Frau Eule war leider gerade kurz in ihrem Büro verschwunden.

»Führst du Selbstgespräche?« Sarah stieß Vivi kichernd in die Seite. »Bestimmt, weil Lene weg ist. Da hat sie keinen mehr, den sie volllabern kann.«

»Stimmt«, sagte Vivi. »Deshalb muss sie mit Büchern reden!« Sie lachte gehässig.

»Was sind das für fiese Zicken?«, fragte Gustaf. Vor Schreck vergaß er sogar zu reimen und ich sank immer tiefer in meinen Stuhl. Ich spürte, wie meine Kehle ganz eng wurde, und mir fiel einfach keine gute Antwort ein. Gustaf schmiegte sich an meine Beine und da stand wie aus dem Nichts Frau Eule neben mir.

»Kann ich euch weiterhelfen?«, fragte sie Vivi und Sarah. Es klang eigentlich freundlich, aber gleichzeitig ziemlich bestimmt. Selbst Vivi war plötzlich ungewöhnlich kleinlaut.

»Haben Sie den neuen Band von Holly Pollys magischer Reitschule?«, fiepste sie.

Frau Eule lächelte. »Nein, tut mir leid. Den letzten Band habe ich gerade an eine Fünfjährige verkauft. Sie ist vor Freude wiehernd aus dem Laden galoppiert.«

Ich musste ein Kichern unterdrücken.

»Pfft«, machte Vivi, packte Sarah am Ärmel und drehte sich um. »Dann kaufen wir das Buch eben woanders!«

»Nimmerwiedersehn«, rief Herr König, und Gustaf fügte noch ein »Ihr bösen Feen« hinzu, während Frau Eule die Tür hinter den beiden schloss. Dann prustete sie los. »*Holly Pollys magische Reitschule*. Das wird mit Sicherheit ein Klassiker der Kinderliteratur.«

Ich konnte nur gequält lächeln. Mir war nämlich klar, dass Vivi und Sarah jetzt überall rumerzählen würden, wie ich mich in meiner Freizeit mit Büchern unterhielt. Mein erster Schultag ohne Lene würde eine einzige Katastrophe werden.

Kartoffelpuffer helfen immer

Meine Laune war nicht gerade die beste, als ich nach Hause kam – auch wenn mir dort ein verführerischer Duft in die Nase stieg. Irgendjemand backte hier nämlich gerade Kartoffelpuffer und dieser Jemand hieß wahrscheinlich Oma. Und Oma wusste, dass Kartoffelpuffer mein absolutes Lieblingsessen waren und ich normalerweise in null Komma nichts am Küchentisch saß. Heute war es allerdings anders, denn ich hatte überhaupt keinen Hunger. Im Gegenteil, mir war sogar ein bisschen schlecht. Wahrscheinlich von der vielen Schokolade und natürlich wegen dem Lene-Kummer. Außerdem ärgerte ich mich. Darüber, dass Vivi und Sarah so gemein gewesen waren und ich nicht einfach irgendwas

Fieses zurückgesagt hatte. Und warum war es mir nicht einfach egal, was die beiden über mich rumerzählten?

Frau Eule hatte mir ein neues Buch mitgegeben, das ich unbedingt lesen wollte. Es schien etwas Witziges zu sein, auf dem Cover war eine durchs Weltall schwebende Katze im Astronautenanzug zu sehen. So etwas konnte ich jetzt gut gebrauchen. Doch da hatte ich die Rechnung ohne meine Familie gemacht. Kaum hatte ich meine Jacke an die Garderobe gehängt, kam mein kleiner Bruder Jakob auf mich zugestürmt. »Clara!«, rief er. »Das Wohnzimmer ist heute ein Kino! Es gibt Popcorn und Chips, und du musst dich beeilen, denn der Film geht gleich los!« Er drückte mir einen Papierschnipsel in die Hand, der offensichtlich eine Eintrittskarte darstellen sollte.

»Du kriegst auch Papas Sessel! Das ist der beste Platz! Willst du gar nicht wissen, welcher Film läuft?«, plapperte er weiter. »*Rettet Raffi!* Raffi ist ein Hamster und …«

»Klingt super«, sagte ich und lächelte, denn es war einfach zu süß, wie aufgeregt Jakob war und wie viel Mühe er und Papa sich gemacht hatten. Ich überlegte kurz. In meinem Zimmer sitzen und ein Buch lesen konnte ich auch später noch, beschloss ich dann – so eine einzigartige Kinovorstellung würde es sicher so schnell nicht wieder geben. Und wer weiß, vielleicht war diese Ablenkung ja gerade viel besser als ein Buch. »Ich zieh mir nur schnell was Bequemes an, ja?«, sagte ich und wuschelte Jakob durch die Haare.

»Ja, ja, jaaaaa!«, rief Jakob und rannte zurück ins Wohnzimmer, wo er aufgeregt vor dem Fernseher auf und ab sprang. »Sie hat Ja gesagt!«

Mein Vater kam mit der Fernbedienung in der Hand in den Flur und zwinkerte mir zu. »Da hast du einen kleinen Mann aber sehr glücklich gemacht. Und einen großen auch. Ich freue mich, dass du dich zu uns setzt.«

Als ich wieder nach unten kam, stand Mama an der Treppe. »Na, wie war es bei Frau Eule?«, fragte sie. »Konnte sie dich auf andere Gedanken bringen?«

»Ja, schon«, sagte ich. »Aber ich glaube, das richtige Aufheiterungsprogramm kommt erst noch!« Ich nickte Richtung Wohnzimmer.

Mama lächelte. »Hast du schon gegessen? Ich habe Oma extra gebeten, heute Kartoffelpuffer zu backen.«

Sie sah mich an, als hätte sie mir gerade eröffnet, dass ich ein Pony zu Weihnachten bekommen würde (was ich mir übrigens gar nicht wünschte – Lene und ich wollten beide neue Inlineskates haben). Denn während ich Kartoffelpuffer über alles liebte, gab es für meine Mutter fast kein schlimmeres Essen.

»Ich habe keinen Hunger!«, sagte ich. Irgendwie tat es mir aber auch leid, dass Oma jetzt in der Küche stand und mir eine Freude machen wollte und ich mich einfach ohne ein Wort ins Wohnzimmer-Kino verzog.

»Komm«, sagte Mama. »Geh wenigstens kurz rein und sag Hallo. Sie macht sich auch Sorgen um dich.«

»Na gut«, antwortete ich, auch wenn ich wusste, dass Oma »keinen Hunger« nicht gelten lassen würde.

Omas Begrüßung klang nicht so, als würde sie sich ernsthaft Sorgen um mich machen. »Mach die Tür zu, es zieht!«, bellte sie irgendwo aus dem Qualm hervor.

»Warum machst du nicht die Dunstabzugshaube

an?«, fragte ich und versuchte, den Dampf vor meinen Augen wegzuwedeln. Oma riss das Fenster auf und die Sicht in der Küche wurde schlagartig besser.

»Papperlapapp, Dunstabzugshaube«, sagte Oma. »Klopsis empfindliche Ohren vertragen das laute Brummen nicht.«

Klopsi war Omas Hund, der so gut wie nie von ihrer Seite wich. Eigentlich hieß er gar nicht Klopsi, sondern Arco, aber nachdem er immer dicker und dicker geworden war, hatte Finn ihm den neuen Namen verpasst. Klopsi beachtete mich nicht, sondern lag hechelnd neben dem Herd, in der Hoffnung, dass irgendetwas für ihn abfiel. Er war so verfressen, dass er sich sogar auf rohe Kartoffeln oder Eierschalen stürzen würde.

»Setz dich, mein Schatz«, sagte Oma und wedelte mit ihrem Pfannenwender herum. »Gegen Kummer hilft am besten das Lieblingsessen, das war schon immer so.«

Ich seufzte, weil ich es nicht übers Herz brachte, ihr zu sagen, dass ich keinen Appetit hatte.

»Kindchen, das wird nicht der letzte Abschied in deinem Leben gewesen sein. Gewöhn dich schon mal dran.«

Meine Oma nahm nie ein Blatt vor den Mund. Das lag vielleicht daran, dass sie schon viel mitgemacht hatte in ihrem Leben, meinen Opa verloren, zum Beispiel. Seitdem wohnte sie mit bei uns, was manchmal gut war – wenn sie einem das Lieblingsessen kochte – und manchmal auch weniger gut, zum Beispiel wenn sie einem ihre Meinung direkt ins Gesicht sagte.

Oma ließ ein dickes Stück Margarine in die Pfanne gleiten, setzte dann drei neue Kleckse aus Kartoffelteig hinein und brachte mir einen Teller, auf dem schon ein Berg Puffer lag. »Hier, bedien dich, bevor der Rest der Meute darüber herfällt.«

Kaum hatte sie das gesagt, ging die Tür auf und mein großer Bruder Finn schlurfte herein. Er hob eine schlaffe Hand zum Gruß. »Kannst auch mal an meinen Rechner. Wegen Chatten oder so.«

Ich blickte ihn verwundert an. Finn redete mit mir? Nicht nur ein Wort, sondern gleich zwei Sätze? Das war neu. Normalerweise ließ er sich den ganzen Tag über nicht blicken und kam erst abends aus seinem Zimmer, wenn alle anderen schon im Bett waren. Und jetzt bot er mir auch noch seinen heiligen Rechner an!

Doch plötzlich verstand ich es. Vermutlich hatte Mama die Parole ausgegeben, dass alle heute extra nett zu mir sein sollten. Ich grinste, denn das war typisch für meine Familie. Eigentlich machte jeder sein Ding – Oma guckte ihre Schnulzen im Fernsehen, Papa rannte mit seinem Fotoapparat in der Gegend rum, Finn saß vor dem Computer, Jakob baute irgendwelche Autorennstrecken in seinem Zimmer auf und Mama arbeitete – aber wenn es irgendwo Kummer oder Probleme gab, hielten alle zusammen und waren füreinander da. Das war auf der einen Seite ein sehr schöner Gedanke, immer ein Haus voller Menschen zu haben, die sich um einen kümmerten. Auf der anderen Seite machte es mich auch ein bisschen traurig, denn ich saß hier und hatte meine Eltern, meine Brüder, Oma und Klopsi. Und Lene? Lene hatte in ihrem neuen Zuhause niemanden außer ihrer Mutter.

Mein Herz wurde wieder schwer. »Finn, danke!«, sagte ich so leise, dass er mich wahrscheinlich gar nicht hörte. Eigentlich wollte ich noch mehr sagen, aber mein Bruder hatte sich ohne ein weiteres Wort den Teller mit Apfelmus vollgeschaufelt und war schon wieder aus der Küche verschwunden.

Klopsi kam zu mir getapst und legte seinen Kopf auf meinen Oberschenkel. Er sah mich mit flehendem Blick an, und auch wenn er nicht sprechen konnte wie Gustaf, wusste ich genau, was er wollte. Doch Oma schien unter ihrer grauen Lockenpracht ein weiteres Paar Augen versteckt zu haben, denn ohne sich umzudrehen fauchte sie: »Keine Puffer für Klopsi! Der wird zu dick!« Das war ziemlich lustig, denn Klopsi platzte ja schon aus allen Nähten, und das war bestimmt nicht meine Schuld. Oma selbst fütterte ihn jeden Abend mit Chips oder Weingummi, wenn sie vor dem Fernseher hockte. Ich schüttelte trotzdem streng den Kopf, woraufhin der Hund wieder zu Oma trottete und sich vor ihren Füßen ablegte.

Die Puffer vor mir dufteten verführerisch. Trotzdem würde ich keinen einzigen Bissen herunterbekommen. Aber Oma enttäuschen konnte ich auch nicht. Ich nahm also in Zeitlupe die Gabel in die Hand und …

»Clara, der Film fängt gleich an!«, rief Jakob vor der Küchentür.

Meine Rettung!

Wie auf Kommando stand ich auf und gab Oma einen Kuss auf die faltige Wange, die immer ein bisschen nach Pfefferminz roch, selbst hier in der verqualmten Küche. »Komme schon!«, rief ich Jakob zu und sagte dann: »Danke für die Puffer, Oma. Du bist die allerbeste Kartoffelpuffermacherin der Welt. Aber ich muss jetzt erst mal ins Kino.«

Oma sah mich gelassen an. »Kalt schmecken sie sowieso am besten«, sagte sie, während sie einen Puffer nahm und ihn Klopsi zuwarf.

»Oma!«, mahnte ich vorwurfsvoll, schüttelte noch einmal den Kopf und ging dann ins Wohnzimmer.

Neben Papas Sessel stand ein kleines Tischchen mit einem Glas Apfelschorle, einer Tüte Chips und einem Schälchen Popcorn. Papa und Jakob hatten wirklich an alles gedacht.

»Na komm«, sagte ich zu meinem kleinen Bruder, als ich mich in den Sessel fallen ließ, »auf den besten Platz passen auch zwei Kinobesucher.« Jakob kuschelte sich an mich und ich deckte uns beide mit Mamas grüner Wolldecke zu. Das Hamster-Abenteuer war keine zwanzig Minuten im Gange, da war Jakob eingeschlafen.

Papa und ich sahen uns den Film trotzdem bis zum Ende an, dann nahm er Jakob hoch und trug ihn in sein Bett. »Danke«, flüsterte ich noch, »das war echt eine tolle Idee von euch.«

Obwohl ich selbst total müde war, musste ich vor dem Schlafengehen noch eine Sache erledigen. Also außer Zähneputzen. Ich ging die Stufen zu meinem Zimmer rauf, knipste das Licht an und setzte mich an den Schreibtisch. Dann zog ich Frau Eules Buch aus der Tasche und fuhr sacht mit den Fingern über das Foto von unseren lachenden Gesichtern.

Lene und Clara. Clara und Lene.

Ich zögerte. Fühlte es sich jetzt so an, als ob Lene neben mir saß? Eigentlich nicht. Eigentlich … überhaupt nicht. Aber das konnte ja noch kommen.

Ich blickte aus meinem Fenster die von Laternen erhellte Straße hinunter. Vielleicht war Lenes Mutter im Zug eingeschlafen, und Lene hatte die Gelegenheit genutzt, an der nächsten Station auszusteigen und heimlich wieder zurückzufahren. Vielleicht kam sie gleich um die Ecke spaziert, als wäre nichts gewesen. Ich starrte in die Dunkelheit, doch natürlich blieb der Bürgersteig leer. Also griff ich nach meinem Füller.

Hallo, Lene, schrieb ich.

Nichts. Nicht ein Hauch meiner besten Freundin war zu spüren.

Was hatte Frau Eule wohl gemeint? Vielleicht musste ich einfach noch ein bisschen mehr schreiben. Aber was?

Ich weiß echt nicht, was ich schreiben soll, fuhr ich fort.

Das sagte Lene auch immer, wenn wir in Deutsch saßen und Frau Richter uns eines ihrer blöden Aufsatzthemen austeilte. Ich kaute eine Weile auf meinem Stift rum und starrte auf die Tierposter an meiner Wand, über die sich Lene immer lustig machte. Aber ich fand Tiere nun mal süß und hatte keine Lust, mir irgendwelche Popstars in mein Zimmer zu hängen.

Dann schrieb ich einfach alles auf, was mir so in den Kopf kam, von unserer Freundschaft und wie wir uns bei der Einschulung kennengelernt hatten, ich erzählte von Finns zwei Sätzen vorhin und von

Klopsi, der bald platzen würde. Ich wollte gerade mit Omas wachsamen Adleraugen anfangen, da spürte ich ein hauchzartes Flattern an meiner Wange. Ich streckte vorsichtig die Hand aus und der kleine Schmetterling aus Frau Eules Laden setzte sich auf meinen Finger.

»Hallo, du«, flüsterte ich, und während ich ihn betrachtete, stellte ich mir vor, wie Lene jetzt zwischen Umzugskartons in ihrem neuen Zimmer saß und genau wie ich in ihr Buch schrieb.

In diesem Moment wurde mir plötzlich klar, was Frau Eule gemeint hatte. Es war tatsächlich ein bisschen so, als wäre Lene hier bei mir, und ich würde ihr all das erzählen, was heute passiert war.

Meine Müdigkeit war wie verflogen, ich schrieb weiter und weiter und musste zwischendurch sogar laut kichern. Das war fast wie in der Schule, wenn wir uns kleine Zettelchen mit lustigen Zeichnungen hin- und herschoben. Am Ende hatte ich vier Seiten vollgekritzelt – da wäre Frau Richter aber stolz auf mich. Noch einen Abschiedsgruß, dann klappte ich das Buch zu.

Ich war richtig erleichtert. Lene und ich würden das schon schaffen, irgendwie.

Eine böse Überraschung

Und dann war er da, der erste Schultag nach den
Sommerferien. Der erste Schultag ohne Lene.
Frau Eule hatte mir noch ein paar Tipps mit auf den
Weg gegeben, um diesen Tag gut zu überstehen. Sie
hatte die Idee, dass ich meine Lieblingsklamotten
anziehen solle, damit ich mich wohlfühle, am besten
natürlich was Grünes, denn das mache gute Laune.
Sie hatte auch vorgeschlagen, ich könne barfuß in die
Schule gehen, das wäre mal was anderes als die ollen
Langweiler mit ihren Schuhen. Meine Vermutung
war aber eher, dass die anderen mich dafür nur aus-
lachen würden. Ich hatte die halbe Nacht wach
gelegen und an Lene gedacht und daran, wie es ihr
wohl an der neuen Schule gehen würde. Im Gegen-

satz zu Lene kannte ich meine Mitschüler immerhin schon, sie musste alle neu kennenlernen. Die Arme.

Als ich jetzt also das Klassenzimmer betrat, herrschte ein riesiger Tumult. Ich versuchte, mich möglichst unauffällig auf meinen Platz zu drängeln. Das klappte natürlich nicht.

»Na, hast du deinen Büchern heute schon einen wunderschönen guten Morgen gewünscht?«, flötete Vivi und stieß Sarah in die Seite.

»Natürlich!«, entgegnete ich mit einem aufgesetzten Grinsen. »Nur *Holly Pollys magische Reitschule* war leider nicht dabei. Ist mir irgendwie zu rosa.«

Vivi blies ihren Pony nach oben. »Dann weißt du wohl noch nicht, dass Rosa gerade total angesagt ist. Zufällig war ich in den Ferien nämlich in den USA und da sind ALLE Frauen in Rosa rumgelaufen.«

Sie sagte *Ju Es Äi* und fand sich dabei besonders cool. Ich drehte mich ohne ein weiteres Wort um und ließ mich auf meinen alten Platz fallen.

Normalerweise hätte ich jetzt zusammen mit Lene alles genau analysiert: Wer hatte eine neue Frisur? Wer neue Klamotten? Wer war im Urlaub gewesen und wo und wer nicht und warum? Jetzt musste ich das Geschehen allein beobachten.

Vivi schien in den *Ju Es Äi* mit neuen Klamotten ausgestattet worden zu sein, Clemens hatte plötzlich ganz komische Haare, und als neuen Mitschüler bekamen wir anscheinend einen blonden Jungen mit Brille, der einen halben Kopf kleiner war als die anderen Jungs und sich gerade an Nino und Darius vorbeidrückte. Meine Oma hätte die beiden als *Raufbolde* bezeichnet, weil sie sich häufig mit anderen prügelten, aber das wusste der Neue wahrscheinlich noch nicht.

»Hallo, Clara«, nuschelte Nora, die in den Ferien eine feste Zahnspange verpasst bekommen hatte.

»Na, hattest du schöne Ferien?«, fragte ich lahm.

»Ja«, sagte sie. »Ich habe einen Englischkurs gemacht, da waren voll viele nette Leute, und wir haben sogar echten englischen Tee getrunken und Cookies gebacken.«

Sie lächelte, als wäre sie die Queen persönlich, nur dass die natürlich keine Zahnspange hatte.

Ich fand es eigentlich ziemlich gemein von Noras Eltern, dass sie in den Ferien auch noch einen Englischkurs machen musste. Da hatte man ja gar keine Zeit mehr für die schönen Sachen! So was wie mit seiner Mama in die Stadt zu gehen oder in der

Hängematte zu liegen und in den strahlend blauen Himmel zu gucken oder mit seiner besten Freundin eine Flaschenpost loszuschicken oder von morgens bis abends zu lesen.

»Und du?«, fragte Nora. »Was hast du so in den Ferien gemacht?«

Ich schluckte, denn die ersten Wochen hatte ich jeden Tag mit Lene verbracht, wir waren vormittags im Freibad und nachmittags im Buchladen gewesen, und nachts hatte sie bei mir geschlafen, entweder mit mir im Hochbett oder neben mir auf einer Luftmatratze in dem Zelt, das Papa im Garten aufgebaut hatte. Das erzählte ich Nora aber nicht, weil ich Angst hatte, wieder traurig zu werden. Stattdessen sagte ich nur: »Gelesen. Ich habe in den Ferien viel gelesen.«

Und das war ja noch nicht mal gelogen.

Ich spielte an den kleinen Anhängern meines Armbandes herum, das Frau Eule mir vor ein paar Jahren zum Geburtstag geschenkt hatte. Sie selbst hatte ein ähnliches, es war silbern, und die Anhänger waren mit winzig kleinen Spiegelscherben besetzt. Nicht zum ersten Mal stellte ich mir vor, dass dieses Armband magische Fähigkeiten hatte. Wenn ich nur lange genug daran rieb, würde vielleicht mein größter Wunsch in Erfüllung gehen. Ich kniff die Augen zusammen und rieb und rieb und rieb und malte mir aus, dass Lenes Papa Daniel bei Lenes Mama Sandra anrief und sich bei ihr entschuldigte und sie anflehte, wieder zu ihm zurückzukommen, weil er sie immer noch liebte, und dass Sandra Ja sagte, sich mit Lene in den Zug setzte und sie wieder in ihr altes Haus zogen. So war das zumindest immer in diesen Schnulzen, die meine Oma im Fernsehen guckte. Lene würde mich jeden Morgen abholen kommen und …

»Kann ich mich hier hinsetzen?«, fragte eine Stimme, und ich riss verwirrt die Augen auf. Lene? War mein Wunsch so schnell Wirklichkeit geworden? Doch dann sah ich, dass der blonde neue Junge mit der Brille vor mir stand und auf den Stuhl neben mir deutete.

»Darius meinte, hier wäre noch was frei.«
Ich schluckte. Das war Lenes Platz und da sollte eigentlich niemand sonst sitzen. Und ein Junge schon gar nicht! Vielleicht kam Lene ja irgendwann wirklich zurück, und dann wäre sie traurig, wenn ich mir einfach den nächstbesten Sitznachbarn ge-

schnappt hätte. Ich richtete mich auf und sah mich um. »Dahinten bei Tom ist auch noch was frei. Versuch's doch da mal.«

Ich fühlte mich fast so gemein wie Vivi, denn der Platz neben Tom war *immer* frei, weil Tom sich sonst nicht konzentrieren konnte, aber woher sollte der neue Junge das wissen?

Es interessierte ihn allerdings auch gar nicht. »Ich würde aber lieber etwas weiter vorne sitzen«, sagte er und tippte sich gegen die Brille. »Bin nämlich eine echte Blindschleiche, weißt du?«

Ich musste lachen, weil ich mir eine Schlange mit Brille vorstellte, die in einem Buch herumblätterte und mir ab und zu über die Schulter schielte.

»Also?«, fragte der Junge.

Ich wusste nicht, was ich machen sollte. Hatte ich überhaupt ein Recht darauf, Lenes Platz zu verteidigen? Immerhin war es sehr unwahrscheinlich, dass sie zurückkam. Aber ich konnte doch auch nicht gezwungen werden, neben jemandem zu sitzen, den ich überhaupt nicht kannte!

»Gibt's Probleme!?«, raunzte da Nino von hinten und rempelte den Jungen an. Dann baute er sich zusammen mit Darius vor meinem Tisch auf. Beide verschränkten ihre Arme vor der Brust und sahen mich herausfordernd an. Ich konnte mich nicht daran erinnern, dass die beiden sich schon mal mit einem Mädchen geprügelt hatten, aber ich traute es ihnen durchaus zu.

Doch der neue Junge war nicht aus der Ruhe zu bringen. »Alles in Ordnung«, antwortete er und lächelte. »Wir erzählen uns gerade, was wir so in den Ferien gemacht haben.«

»Na dann …« Nino guckte etwas verdutzt, weil der Neue gar nicht eingeschüchtert war. »… dann ist ja gut«, sagte er schließlich.

»Wenn du Ärger willst, gib Bescheid«, brummte Darius.

Dann verschwanden sie wieder.

Okay, das war echt ganz schön mutig gewesen von diesem Jungen. »Ich heiße übrigens Clara«, sagte ich. »Und klar kannst du hier sitzen.«

Irgendwie würde ich das schon hinkriegen. Vielleicht war er ja auch total gut in Mathe, und ich konnte von ihm abschreiben, oder seine Mutter packte ihm jeden Morgen Schokolade ein, die er mit mir teilte.

»Leo«, sagte der Junge und stellte seine Tasche neben dem Tisch ab.

»Aber eine Bedingung habe ich!«, schob ich schnell hinterher. »Wenn meine beste Freundin wiederkommt, musst du dich woanders hinsetzen.«

»Du bist wie meine Schwester«, entgegnete er. »Immer gibt es noch ein ABER.« Er sprach mit quietschend hoher Stimme weiter: »Ja, du darfst dir dieses Buch ausleihen. Aber nicht zerknicken! Ja, du kannst was von der Schokolade abhaben. Aber dafür gibst du mir deine Gummibärchen. Ja, du kannst gleich an Papas Computer. Aber vorher muss ich noch siebzehn Mails an meine Freundinnen schreiben.«

Jetzt musste ich schon wieder lachen. »Trotzdem«, sagte ich dann. »Akzeptierst du meine Bedingung?«

Er streckte mir die Hand hin und lächelte. »Abgemacht!«

Ich lächelte zurück, doch das verging mir schlagartig, als es zum Unterrichtsbeginn klingelte und sich die Tür unseres Klassenzimmers öffnete. »Einen wunderschönen guten Morgen!«, ertönte eine fröhliche Stimme, und mir wurde gleichzeitig heiß und kalt. Heiß vor Wut und kalt vor Schreck.

Unsere neue Lehrerin hatte lange, braune Haare und an den Ohren baumelten silberne Ringe. Sie trug ein knallrotes Kleid mit einem komischen Muster. Außerdem waren ihre Nägel rot lackiert und an einem Finger funkelte ein Ring. Ich hatte diese Frau schon einmal gesehen, und zwar Arm in Arm mit Lenes Vater …

»Mein Name ist Inke Rose und ich bin neu an dieser Schule. Und ab heute eure Klassenlehrerin!«

Ich starrte sie an und wusste nicht, wie ich das Fragenfeuerwerk in meinem Kopf stoppen sollte.

Wieso ist die Stinkehose Lehrerin? Warum ausgerechnet an meiner Schule? Darf so jemand Gemeines überhaupt Lehrer werden? Und was soll ich jetzt machen???

Das Lachen der anderen riss mich aus meinen Gedanken. Hatte die Stinkehose etwa einen Witz gemacht?

»Hab ich was verpasst?«, fragte ich Leo.

Der grinste. »Frau Rose hat gerade erzählt, welche Spitznamen sie schon von ihren Schülern bekommen hat und dass uns garantiert kein neuer mehr einfällt.«

»Aha«, sagte ich und ärgerte mich darüber, dass die anderen sie so lustig fanden. Außerdem würden Gustaf bestimmt noch viel mehr Namen einfallen, die die *faule Aprikose – schwarze Stinkehose* noch nie gehört hatte.

Jetzt ging sie mit einem Körbchen durch die Reihen, in dem mit Glitzerpapier beklebte Hefte und Stifte lagen. »Ich möchte, dass sich jeder von euch ein Heft und einen Stift nimmt.« Sie hielt Vivi das Körbchen unter die Nase, die ein pink schimmerndes Büchlein hervorzog und mit den Fingerspitzen darüberstrich, als wäre es aus Gold.

»Vielen Dank, das ist … wunderschön!«, säuselte sie, und ich fragte mich, warum sie immer so übertreiben musste.

»Ich würde mich freuen«, sagte die Stinkehose und ging weiter, »wenn ihr dieses Heft wie ein Tagebuch benutzt. Aber nicht als ein geheimes, sondern als eins, das auch andere lesen dürfen. Also ich zum Beispiel.«

Nie im Leben würde ich die Stinkehose mein Tagebuch lesen lassen!

Sie fuhr fort: »Schreibt auf, was euch besonders gut gefallen hat in der Schule, was euch Kummer bereitet, welche Wünsche ihr an uns Lehrer habt …«

Dass du wieder verschwindest, dachte ich böse.

»… manchmal ist es einfacher, die Dinge aufzuschreiben, als sie direkt anzusprechen. Also, seid mutig und nutzt euer Tagebuch, wann immer ihr wollt.«

Jetzt stand die Stinkehose vor Leos und meinem Tisch und das Herz klopfte mir bis zum Hals. Ich konnte sie gar nicht ansehen, also starrte ich stur auf die Tischplatte. Sie schob den Korb in mein Sichtfeld, und ich musste zugeben, dass die Hefte wirklich wunderschön waren. Fast hätte ich die Hand

ausgestreckt, um mir eins herauszunehmen, doch
dann fiel mein Blick auf Stinkehoses Finger, die den
Korb festhielten, die rot lackierten Nägel und den
funkelnden Ring. Den hatte ihr bestimmt Lenes
Vater geschenkt.

Ich hielt den Blick weiter starr auf den Tisch gerichtet und mein Herz klopfte immer stärker. Dann
nahm ich all meinen Mut zusammen und sagte: »Ich
möchte kein Heft.«

Das war so leise und schnell aus meinem Mund gekommen, dass die Stinkehose es wahrscheinlich gar
nicht gehört hatte. Was vielleicht auch besser war,
denn so etwas sagte man einfach nicht, wenn einem
jemand etwas schenken wollte. Andererseits …

»Musst du ja auch nicht«, sagte da die Stinkehose,
die mich offensichtlich sehr wohl verstanden hatte.
Ihre Stimme war freundlich, und sie fügte dann noch
hinzu: »Wenn du es dir anders überlegst, gib mir
einfach Bescheid. Ich hebe dir eins auf.«

Dieser Schultag war noch schlimmer gewesen, als
ich ihn mir hätte ausmalen können. Es war klar,
wohin ich sofort nach der Schule gehen musste: in
den Wunschbuchladen. Denn wenn mich dort niemand

aufheitern konnte, dann schaffte es auch sonst keiner.

Kaum hatte ich den Laden betreten, standen Frau Eule und Gustaf auch schon vor mir und sahen mich erwartungsvoll an. »Uuuuuund?«, fragten beide gleichzeitig, als hätten sie es vorher geübt.

Ich stellte meinen Rucksack ab und ließ mich in Gustafs Sessel fallen.

»Eine einzige Katastrophe«, sagte ich, woraufhin Frau Eule gleich hinter ihren Tresen rannte und einen Teller mit zwei Schokotörtchen hervorholte, den sie mir kommentarlos reichte.

Gustaf schlug vor Schreck die Pfote vors Gesicht, und Herr König stöhnte laut, als ich von meiner neuen Lehrerin berichtete. Meinen neuen Sitznachbarn schienen sie hingegen nicht weiter problematisch zu finden. »Was genau stört dich denn an ihm?«, fragte Herr König interessiert. »Riecht er unangenehm oder hat er sich flegelhaft verhalten?«

Ich musste lachen, denn *flegelhaft* war ein typischer Herr-König-Ausdruck. »Nein«, sagte ich. »Er hat nicht unangenehm gerochen und flegelhaft benommen hat er sich auch nicht.«

»Na, dann ist er doch ein richtiger Gentleman!«,

rief Herr König. »Ich verstehe nicht, warum du ihn so schlimm findest.« Ich überlegte. Eigentlich war Leo nett und höflich gewesen und hatte mich sogar zum Lachen gebracht. Trotzdem wollte ich nicht, dass er neben mir saß.

»Lass sie doch!«, fauchte Gustaf, bevor ich länger darüber nachdenken konnte. »Sie wird schon ihre Gründe haben! Oder findest du jeden Kunden toll, der hier in den Laden kommt?«

»Aber ich kenne die meisten dieser Kunden schon seit vielen, vielen Jahren. Und bei denen, die mir nicht bekannt sind, blicke ich in die Seele.«

Herr König hatte in der Tat eine enorme Menschenkenntnis, die er manchmal als hellseherische Fähigkeit verkaufte. Er hatte jahrelang in einem Theater gestanden und davor in einem Antiquariat. Da war er so vielen Menschen begegnet, die sich in ihm betrachtet hatten, dass er sehr, sehr viel über deren Charakterzüge und Gefühle gelernt hatte.

»Warte es nur ab, Clara«, sagte er jetzt. »Du willst nichts mit deinem neuen Sitznachbarn zu tun haben, weil er nicht Lene ist. Aber wenn du den Abschiedsschmerz überwunden hast, siehst du vielleicht, dass er eigentlich kein so schlechter junger Mann ist.«

Irgendwie redeten wir mehr über Leo als über das Stinkehosen-Problem, was ja viel, viel schlimmer war. »Wenn diese blöde Stinkehose jemals in den Laden kommt, kannst du ihr mal in die Seele blicken, ja?«, sagte ich und wollte gerade wieder damit beginnen, wie unmöglich ich sie und ihr Verhalten fand, als sowohl Frau Eules als auch Gustafs Miene versteinerte. Ich blickte zur Ladentür, die sich in diesem Moment öffnete. »Oh nein«, entfuhr es mir.

»Was ist schlimmer als ein Furz? Der böse Antiquar Herr Schlurz«, reimte Gustaf und sprang zu mir auf den Schoß.

»Einatmen, ausatmen«, sagte Frau Eule leise und rief dann fröhlich: »Herr Schlurz, was führt Sie zu uns?«

Zu meinen Füßen hörte ich ein leises Scharren, und als ich hinunterblickte, lief dort ein kleiner Comicteufel mit Dreizack an mir vorbei. Ich stellte ihm meinen Fuß in den Weg, woraufhin er mich entrüstet ansah. »Pst«, zischte ich und deutete mit dem Kopf auf das Regal mit den Comics. »Sofort zurück mit dir!« Er hob einmal drohend seinen Dreizack und marschierte dann artig zurück zum Regal, wo er in einem Buch verschwand.

Jetzt richtete ich meinen Blick wieder auf den Teufel in Menschengestalt, der soeben eingetreten war. Herr Schlurz. »Ich möchte nur das zurück, was mir gehört«, sagte dieser gerade mit finsterer Stimme und ging auf Herrn König zu.

»Fassen Sie mich ja nicht an!«, polterte der, doch das konnte Herr Schlurz nicht hören.

»Bitte fassen Sie den Spiegel nicht an, Herr Schlurz«, sagte Frau Eule freundlich. Herr Schlurz ließ sich davon nicht beirren und fuhr mit der Hand über Herrn Königs Goldrahmen.

»Sofort aufhören!«, schrie Herr König. »Sonst vergesse ich mich!«

Der Antiquar sah aus wie ein richtiger Ganove in seinem dunklen Mantel und mit dem schwarzen Hut, den er sich tief ins Gesicht gezogen hatte. »Bald gehörst du wieder mir!«, raunte er, und an Frau Eule gewandt sagte er: »Wenn Sie ihn mir nicht freiwillig geben, werde ich Sie dazu zwingen, und wenn ich ihn höchstpersönlich hier rausschaffen muss.«

»Pah«, rief Gustaf mutig, »du hast überhaupt keine Muckis, um unseren Freund hier zu tragen!«

Ich musste kichern, woraufhin mir Herr Schlurz einen vernichtenden Blick zuwarf.

»Ich erkläre es Ihnen gerne nochmals«, sagte Frau Eule in einem fröhlichen Singsang. »Sie können jederzeit ein Buch bei mir kaufen.« Sie zog blindlings etwas aus dem Regal. »Zum Beispiel dieses hier! Meine Einrichtung ist jedoch unverkäuflich!«

»Aber der Spiegel gehört mir«, zischte Herr Schlurz. »Warum verstehen Sie das nicht? Wenn Sie ihn unbedingt behalten wollen, zahlen Sie mir etwas dafür! Mit 10 000 Euro wäre ich schon zufrieden.« Frau Eule lachte einmal laut auf.

»Möchten Sie vielleicht ein Schokotörtchen?«, fragte sie dann mit besonders säuselnder Stimme. »Das sorgt für gute Laune! Ich habe das Gefühl, davon können Sie ein wenig gebrauchen.«

Herr Schlurz winkte ab und wandte sich wieder Richtung Ladentür. »Irgendwann wird Ihnen das Lachen noch vergehen!«, sagte er und dann war er verschwunden.

Frau Eule seufzte und ging hinter den Tresen, um sich ein Schokotörtchen in den Mund zu stopfen.

»Warum glaubt er, dass Herr König ihm gehört?«, wollte ich wissen.

»Bitte, ich möchte nicht daran erinnert werden!«, maulte Herr König.

»Früher stand er wirklich mal bei Herrn Schlurz im Antiquariat«, erklärte Frau Eule. »Aber das ist viele, viele Jahre her. Herr Schlurz hat ihn für eine Menge Geld an das Theater verkauft, und als das nach der Renovierung keine Verwendung mehr für ihn hatte, kam er zu mir.«

»Jetzt behauptet Herr Schlurz, er hätte mich nur an das Theater ausgeliehen und dass Frau Eules Kauf nicht rechtmäßig war«, ergänzte Herr König. »Wahrscheinlich hofft er, durch mich noch mal ordentlich Geld zu verdienen, weil sein Laden nicht so gut läuft.«

Frau Eule schluckte den letzten Rest ihres Schokotörtchens hinunter und klatschte dann in die Hände. »Heute ist kein Tag für schlechte Laune! Schon gar nicht für schlechte Schlurz-Laune! Clara, hilfst du mir, ein paar Bücher einzusortieren?«

»Gerne«, sagte ich und musste feststellen, dass meine schlechte Laune tatsächlich schon fast verflogen war.

Ein ganz besonderer Buchtipp

Als ich mich am nächsten Morgen auf den Weg zur Schule machte, war meine Laune leider wieder im Keller. Eigentlich hatte ich am Abend noch mit Lene skypen und ihr von diesem verrückten ersten Schultag erzählen wollen, von der Stinkehose und Leo und von meinem Nachmittag im Buchladen. Finn schien sein Rechner-Versprechen allerdings schon wieder vergessen zu haben, jedenfalls hatte er sich in seinem Zimmer verbarrikadiert und mich nicht reingelassen. Also hatte ich in das Freundinnenbuch geschrieben, aber diesmal wirklich keinen einzigen Hauch von Lene gespürt. Der Schmetterling war auch nicht da gewesen. Ich malte mir aus, wie der kleine Comicteufel den Schmetterling mit seinem erhobenen Dreizack daran gehindert hatte, aus dem Laden zu flattern – vielleicht hatte er deswegen nicht kommen können.

»Hey, aus dem Weg!«, hörte ich plötzlich eine Stimme hinter mir, und bevor ich wusste, was los war, sauste ein Fahrrad haarscharf an mir vorbei. Darius. Und wo Darius war, konnte Nino nicht weit sein. »Hast du keine Augen im Kopf? Das ist der RADWEG!«, schrie der und streifte mich mit seiner Schultasche, die er über der Schulter hängen hatte.

»Blödmänner«, sagte ich, allerdings so leise, dass sie es nicht mitkriegen konnten.

»Hey, das hab ich gehört«, sagte da trotzdem eine Stimme, die aber weder nach Darius noch nach Nino klang. Ich drehte mich um und sprang schnell auf den Gehweg, für den Fall, dass noch jemand vorhatte, mich umzufahren.

»Wieso gehst du denn zu Fuß? Mit dem Rad bist du doch viel schneller in der Schule«, meinte Leo und fuhr ganz langsam neben mir her.

»Keine Lust«, sagte ich. »Außerdem trifft man manchmal irgendwen und dann kann man besser quatschen als auf dem Fahrrad.«

Leo sah sich suchend um. Wir waren allein auf dem Gehweg. »Verstehe.«

Wahrscheinlich dachte er, ich wäre verrückt und würde mit einer unsichtbaren Freundin sprechen, die ich mir eingebildet hatte. So wie Vivi und Sarah, die glaubten, dass ich mit Büchern redete.

»Na ja, dann lass ich dich mal. Bis gleich!« Damit trat er in die Pedale und raste hinter Nino und Darius her.

Ich seufzte. Jungs! Na ja, wenigstens hatte er sich einen gemeinen Kommentar verkniffen.

Ich sah auf die Uhr und hatte noch gut zehn Minuten Zeit. Perfekt, denn dann konnte ich am Kiosk haltmachen und mir eine neue Telefonkarte für mein Handy kaufen. Das hatte ich eigentlich nur für Notfälle, und wenn das Guthaben auf meiner Karte für einen Monat aufgebraucht war, musste ich sie von meinem Taschengeld aufladen. Dabei hätten meine Eltern eigentlich wissen müssen, dass das mit Lene der Meganotfall war, und mir ein bisschen Extra-Guthaben spendieren können. Egal, immerhin konnte ich so die zwei Euro, die Mama mir für die Pause mitgegeben hatte, noch in eine bunte Tüte Süßigkeiten investieren.

Als ich den Kiosk verließ, steckte ich mir schnell eine saure Erdbeere in den Mund und tippte meine erste SMS an Lene: Schulweg ohne dich ist doof!

Und sofort kam zurück: Frag mich mal! Muss mit dem Bus fahren und neben mir sitzt ein echt unangenehmer Typ.

Wie mein neuer Sitznachbar ☹, antwortete ich gerade, als ich einen dumpfen Schmerz am Kopf spürte. Autsch! Das hatte wehgetan. Ich sah auf und musste feststellen, dass ich gegen eine Laterne gelaufen war. Wie in einem schlechten Film. Selbst schuld, würde ich sagen. Ich drehte mich um und vergewisserte mich, dass niemand diesen peinlichen Vorfall gesehen hatte. *Hoffentlich gibt das keinen blauen Fleck!*, dachte ich und rieb mir die pochende Stelle. Das wäre nur noch ein weiterer Grund für Vivi und Sarah, mich auszulachen. Ich steckte das Handy wieder in die Tasche, um den restlichen Schulweg ohne weitere Zwischenfälle zu überstehen.

Als ich ankam, war der Pausenhof menschenleer. Komisch, denn normalerweise herrschte hier immer ein Lärm wie auf dem Jahrmarkt. Ich blickte auf die Uhr – Mist, Mist, Mist! Ich war viel zu spät! Wahrscheinlich hätte ich Frau Kowalski entscheiden lassen sollen, was sie mir in die bunte Tüte packt, und nicht selbst ewig lang rumüberlegen, wie viel Lakritze und wie viele saure Erdbeeren ich nehme.

Mein Herz rutschte eine Etage tiefer, als ich daran dachte, bei wem wir die erste Stunde hatten. Deutsch bei der Stinkehose. Vielleicht konnte ich schnell Oma anrufen und sie bitten, mich im Sekretariat zu entschuldigen. Manchmal fand sie solche Aktionen lustig, aber wenn ich Pech hatte, ging Papa ans Telefon, und dann musste ich mir eine Ausrede für meinen Anruf einfallen lassen. Also keine gute Idee.

Ich rannte in den zweiten Stock, wo sich unser Klassenzimmer befand. Es kostete mich große Überwindung, an die Tür zu klopfen und diese zu öffnen.

»Clara, da bist du ja!«, rief die Stinkehose freudig und wedelte mit ein paar Blättern herum. »Wir wollten gerade anfangen.«

Wollte sie gar nicht wissen, warum ich zu spät war?

»Leo hat uns schon gesagt, dass du aufgehalten wurdest«, erklärte sie weiter.

Ich sah fragend in seine Richtung, woraufhin er nur grinste. »Das kann schon mal dauern, bis man Ortsunkundigen den Weg erklärt hat.« Die Stinkehose kicherte. »Ich weiß noch, als ich hier das erste

Mal orientierungslos durch die Straßen geirrt bin …
Aber lassen wir das. Setz dich und dann legen wir
los.«

Ich stellte meine Tasche neben den Tisch und ließ
mich auf meinen Stuhl fallen. »Warum hast du ihr so
einen Quatsch erzählt?«, flüsterte ich.

»Damit du keinen Ärger bekommst«, antwortete
Leo. »Oder hätte ich lieber sagen sollen, dass du
rumgetrödelt hast? Wo warst du denn so lange?« Er
deutete mit dem Finger auf meine Stirn. »Und was
ist das? Hast du dich mit jemandem angelegt?«

Hastig befühlte ich die Stelle – das war tatsächlich
eine schöne Beule geworden. Peinlich.

Die Stinkehose räusperte sich, sodass mir eine
ausführliche Antwort erspart blieb. »Danke«, flüsterte ich nur noch und beugte mich dann über mein
Arbeitsblatt.

Kurze Zeit später vibrierte es in meiner Hosenta-
sche – das konnte nur eine neue Nachricht von Lene
sein. Die Stinkehose ging gerade durch die Reihen
und erklärte, was genau wir machen sollten. Da sie
Leo und mir den Rücken zuwandte, riskierte ich
einen Blick auf mein Handy.

Besser einen blöden Sitznachbarn als keinen ☹,

hatte Lene geschrieben, und ich bekam einen dicken Kloß im Hals. Gab es niemanden in ihrer neuen Klasse, der neben ihr sitzen wollte? *Lene, oh Lene, das tut mir so leid*, dachte ich, und genau das wollte ich ihr auch schreiben. Ich fing gerade an zu tippen, als Leo mir mit dem Ellbogen in die Seite stieß. Zu spät, denn die Stinkehose stand vor mir und streckte ihre Hand aus. »Seit wann sind im Unterricht Handys erlaubt, Clara?«, fragte sie, und am liebsten hätte ich entgegnet: »Seitdem Sie dafür gesorgt haben, dass meine beste Freundin nicht mehr da ist«, doch das traute ich mich nicht. Stattdessen legte ich mein Handy in ihre Hand und starrte auf mein Arbeitsblatt.

»Das kannst du dir nach Schulschluss im Sekretariat abholen«, sagte die Stinkehose noch, und dann ging sie wieder nach vorne.

Vivi und Sarah kicherten natürlich über meine Blödheit, und ich hatte das Gefühl, dieser zweite Schultag ohne meine beste Freundin würde noch schlimmer werden als der erste. Ich blickte zu Leo, der mitfühlend mit den Schultern zuckte, und dachte an Herrn Königs Frage, was eigentlich so schlimm an meinem neuen Sitznachbarn war. Immerhin hatte er an diesem Morgen gerade zum zweiten Mal versucht, mir aus der Patsche zu helfen.

Die Stinkehose erklärte inzwischen, welches Wort in welche Lücke auf dem Arbeitsblatt gehörte, doch ich konnte mich überhaupt nicht konzentrieren. Ich dachte an Lene und wie sie mutterseelenallein im Unterricht saß und keinen hatte, mit dem sie sich unterhalten konnte. Es war schon schlimm genug, irgendwohin zu kommen und niemanden zu kennen, aber wenn sich dann noch nicht mal andere Kinder für einen interessierten oder ein Gespräch anfingen … Mein Blick wanderte wieder zu Leo. Ich hatte mich ihm gegenüber nicht gerade nett verhalten, obwohl es eigentlich überhaupt keinen Grund dafür gab. Jetzt kramte er gerade in seinem Rucksack rum, und ehe ich michs versah, drückte er mir sein Handy in die Hand. »Damit du zurückschreiben kannst«, zischte er und tat gleichzeitig so, als würde er dem Unterricht folgen. Ich nahm das Handy dankbar entgegen.

Leider war Leos Telefon ein anderes Modell als meines, weshalb ich zwar auf vielen Tasten herumdrückte, aber trotzdem nicht zur Nachrichtenfunktion kam. Weil ich nicht schon wieder Stinkehoses

Aufmerksamkeit auf
mich ziehen wollte,
schob ich das
Handy zurück.
Leo starrte
es an, und ich
starrte auf Leo –
eigentlich logisch,
dass der Stinke-
hose das nicht
entging. Jeden-
falls stand sie
jetzt wieder vor

unserem Tisch und streckte abermals die Hand aus.
So ein Mist, dachte ich. Denn ich konnte mir in etwa
vorstellen, was gleich folgen würde.

»Komisch«, sagte sie. »Ich war doch gerade schon
einmal hier. Für dich gilt dasselbe wie für Clara.
Dein Handy kannst du dir nach Schulschluss im
Sekretariat abholen. Und bevor noch jemand auf
die Idee kommt: Clara und Leo werden heute eine
Stunde nachsitzen. Wer sich dazugesellen möchte,
muss nur sein Handy herausholen.«

Ich schluckte. Das Handy abnehmen … Okay,

aber deswegen gleich nachsitzen? Das mussten normalerweise nur Nino und Darius, wenn sie mal wieder für Ärger gesorgt hatten. Das war ja wohl etwas ganz anderes als ein klitzekleiner Blick aufs Handy, oder etwa nicht? Meine Ohren wurden knallrot und ich starrte auf die Tischplatte. Blöde Stinkehose, echt.

Bevor sie noch weitere Drohungen aussprechen konnte, klingelte es zur Pause. Ich drehte mich sofort zu Leo um. »Tut mir echt leid, dass du jetzt nachsitzen musst«, sprudelte es aus mir hervor.

»Kein Ding«, antwortete er. »Immerhin sind wir zu zweit, ist nur halb so langweilig.«

Dann biss er genüsslich in sein Nutellabrot und verschwand im Getümmel.

Als ich nach der Schule in den Buchladen kam, wurde ich bereits erwartet. »Clara!«, maunzte Gustaf vorwurfsvoll. »Wo warst du denn so lange? Heute ist Dienstag und da bringst du mir doch immer …«

Oh nein, ich hatte Gustafs Zimtschnecke vergessen. Dienstags, und zwar nur dienstags, gab es beim Bäcker neben unserer Schule Zimtschnecken. Gustaf aß sie für sein Leben gern und deshalb brachte ich ihm jeden Dienstag eine mit.

Ich setzte mich zu ihm auf den Sessel. »Es tut mir so leid! Ich musste heute nachsitzen und da habe ich sie vergessen. Soll ich noch mal zurückgehen?«

»Nicht nötig«, brummte der Kater. »Erzähl mir lieber, warum du nachsitzen musstest.«

»Das würde mich allerdings auch interessieren«, schaltete sich Herr König ein. »Ist deine neue Lehrerin etwa daran schuld?«

Während ich die Geschichte erzählte, kam Frau Eule summend aus dem Büro getänzelt und wedelte mit einem Backbuch herum.

»Schaut mal, hier! Ein ganz tolles schwedisches Backbuch. Ist gerade neu reingekommen!«

»Was?«, schrie Gustaf, den die Sache mit dem Nachsitzen plötzlich gar nicht mehr zu interessieren schien. Er sprang auf den Tisch mit den Neuerscheinungen und stellte sich mit den Vorderbeinen auf einen Stapel Comics, um einen besseren Blick auf das Buch erhaschen zu können. »Ich werd' verrückt!«, rief er. »Kladdkaka, Chokladbollar und Prinsesstårta.«

Ich verstand nur Bahnhof.

Gustaf hatte eine Vorliebe für Schweden und behauptete immer, er wäre nach dem schwedischen

König Carl Gustaf benannt worden. Ab und zu – meistens dann, wenn ihm kein Reim einfiel – zitierte er auch schwedische Sprichwörter. Wobei man sich nie so sicher sein konnte, ob es die wirklich gab oder er sie gerade erfand. Und er konnte genau einen schwedischen Satz sagen, der da lautete: »Jag äter gärna kanelbullar«, was so viel bedeutete wie: »Ich esse gerne Zimtschnecken.«

»Vielleicht können wir ja hier im Laden mal backen«, überlegte Frau Eule, woraufhin Gustaf einen lustigen Luftsprung machte. »Auf jeden Fall ist es mal wieder an der Zeit für eine außergewöhnliche Aktion bei uns. Eine, die den Leuten in Erinnerung bleibt.« Sofort ließen sich ein Bastelbuch, ein Buch über französische Weine und ein Psychologie-Ratgeber aus dem Regal fallen. Frau Eule lachte, und ihre Augen begannen zu funkeln, wie immer, wenn eine Idee in ihrem Kopf entstand. Es gab nichts Schöneres für sie, als sich irgendetwas Verrücktes auszudenken und anderen damit eine Freude zu machen. Manchmal stellte sie in kürzester Zeit etwas so Tolles auf die Beine, dass ich mich fragte, ob sie magische Fähigkeiten besaß. Oder ob ihr Tag mehr als 24 Stunden hatte. Einmal hatte sie lauter Doppelgänger lange verstorbener Autoren eingeladen. Die hatten ein bisschen aus ihren Büchern vorgelesen und mit den Leuten geplaudert. Und sie sahen alle so täuschend echt aus, ich hätte schwören können, dass da keine Doppelgänger, sondern die echten Autoren saßen ... Karl May mit seinem grauen Schnurrbart oder Erich Kästner mit den buschigen Augenbrauen. Das war natürlich unmöglich, aber Frau Eule bekam so etwas einfach hin, und die Leute waren begeistert.

»Na ja, uns wird schon etwas Nettes einfallen«, sagte Frau Eule jetzt und legte das schwedische Backbuch beiseite.

»Wie wäre es mit einem Spiegel, der den Kindern Märchen vorliest?«, sagte Herr König.

»Oder mit einer Katzenlesenacht?«, sagte Gustaf.

»Ein Spiegel, der Pärchen Liebesromane vorliest«, sagte Herr König.

»Ein kulinarischer Abend mit Katzengeschichten«, sagte Gustaf.

»Ein Spiegel, der den Gästen spannende Krimis vorliest«, sagte Herr König.

»Ein Katzentatzenbuchsuchspiel«, sagte Gustaf.

Wir dachten uns noch weitere Quatschideen aus und wurden immer alberner. Seit Lene weggezogen war, hatte ich nicht mehr so gelacht, und das fühlte sich richtig gut an.

Ich wusste nicht, wie viel Zeit schon vergangen war, aber irgendwann bimmelte das Glöckchen über der Ladentür, und Gustaf schrie: »In dieser Stunde der erste Kunde.«

Frau Eule sprang vom Sessel auf und wischte sich schnell die Lachtränen weg, während ich mich in die Kinderbuchecke verzog und mir mal wieder die bunten Buchreihen ansah. Herr König begann sofort mit dem Hellsehen: »Hui, die ist bis über beide Ohren verknallt. Kriegt Herzklopfen, wenn sie nur an ihren Liebsten denkt. Aber sie sucht kein Buch für ihn, sondern für jemanden, um den sie sich Sorgen macht. Hat schon zwei, drei kleine Sorgenfältchen deswegen. Sie möchte demjenigen eine Freude machen.«

Ich reckte meinen Kopf, weil ich sehen wollte, wie so eine bis über beide Ohren verknallte Kundin aussah, doch das hätte ich besser nicht getan. Denn mitten im Laden stand … die Stinkehose. Ich versuchte, mich hinter einem Baumhaus aus Pappe zu verstecken, das Frau Eule als Dekoration aufgestellt hatte, doch die Stinkehose hatte mich schon entdeckt.

»Hallo, Clara«, sagte sie freundlich. »Wie schön, dich hier zu treffen! War ja heute ein etwas längerer Schultag für dich.« Sie zwinkerte mir zu, als hätte sie einen Witz gemacht.

»Oh nein«, sagte Herr König, der sofort wusste, um wen es sich bei dieser Kundin handeln musste.

Die Stinkehose trug dasselbe Kleid wie heute Vormittag und hatte ihre Haare zum Pferdeschwanz gebunden. Im Vorbeigehen strich sie mit den Fingern über die Bücher und ließ ihren Blick durch den Laden schweifen. »Es ist so schön hier«, sagte sie.

Frau Eule hatte sich bislang im Hintergrund gehalten, entweder weil sie auf weitere Informationen von Herrn König wartete oder weil sie sehen wollte, ob die Kundin bereits wusste, was sie wollte.

»Von Clara ablenken!«, befahl der Spiegel jetzt. »Die hat schon ganz nass geschwitzte Hände vor lauter Aufregung.«

Ich sah, dass Gustaf die offen stehende Ladentür nutzte, um nach draußen zu flitzen. Wie gerne wäre ich ihm hinterhergerannt!

Frau Eule schob sich energisch vor die Stinkehose. »Wie kann ich Ihnen weiterhelfen?«, fragte sie und beantwortete ihre Frage gleich selbst. »Am besten empfehle ich Ihnen ein gutes Buch.« Sie versuchte, die Stinkehose in Richtung der Liebesromane zu schieben. Die ließ sich allerdings nicht beirren und steuerte weiter auf die kleine Treppe zu, die in die Kinderbuchecke führte. Damit versperrte sie mir meinen einzigen Fluchtweg.

»Danke«, sagte sie. »Ein Buch brauche ich tatsächlich, aber in diesem Fall ist Clara die Expertin, die mir weiterhelfen kann.«

Ich starrte wie gebannt auf das Buch in meiner Hand und tat so, als würde ich angestrengt den Titel lesen. Was mich aber *wirklich* brennend interessierte, war die Frage, wieso ausgerechnet *ich* der Stinkehose weiterhelfen können sollte.

»Ach ja?«, fragte Frau Eule. »Inwiefern denn?«

»Da musst du jetzt wohl durch«, sagte Herr König. »Aber das schaffst du. Glaub mir, sie ist wirklich harmlos, das sehe ich ganz genau.«

Bestimmt konnte die Stinkehose ihre böse Seite irgendwie verstecken, sodass der Spiegel sie nicht sehen konnte.

»Ja, ich suche ein schönes Buch für die Tochter meines …«, sie zögerte kurz. »Freundes.«

Mir wurde auf einmal ganz schlecht.

»Du kennst Lenes Geschmack doch bestimmt ziemlich gut, oder? Ich würde ihr gerne ein kleines Päckchen schicken, damit ihr der Start in der neuen Heimat etwas leichter fällt. Was glaubst du, würde ihr gefallen?«

Ich presste die Lippen zusammen, damit nicht aus Versehen irgendetwas Gemeines aus meinem Mund kam. Wie konnte man so hinterhältig sein? Sie war schuld, dass Lene aus ihrer alten Heimat wegziehen musste, und jetzt wollte sie ihr ein Begrüßungspaket in die neue schicken? Glaubte sie, das würde alles besser machen?

»Clara, bleib ruhig«, sagte Herr König. »Diese Situation ist ihr selbst sehr unangenehm. Sie ist mindestens genauso aufgewühlt wie du.«

»Ich habe aber niemandem seine beste Freundin weggenommen!«, sagte ich laut und sah die Stinkehose dabei herausfordernd an.

Es schien sie nicht zu irritieren, dass das keine Antwort auf ihre Frage war.

»Clara, ich weiß, dass Lene deine beste Freundin ist und du wahrscheinlich stinksauer auf mich bist, weil sie wegziehen musste.«

Sie nahm die erste Stufe der kleinen Treppe und

ich wich automatisch zurück. »Das verstehe ich. Sehr gut sogar. Ich wünschte auch, es hätte eine andere Lösung gegeben. Aber es ist nun mal so, wie es ist, und wir sollten versuchen, das Beste daraus zu machen.«

Ich spürte, dass mir Tränen in die Augen stiegen. Die Stinkehose wusste überhaupt nichts! Wie blöd man sich ohne eine beste Freundin fühlte … und wie einsam.

Frau Eule schob sich an Frau Rose vorbei und legte den Arm um mich. Und dann weinte ich richtig los. Ich vermisste Lene so sehr und wollte diese Stinkehose nicht als Lehrerin haben und Leo nicht als Sitznachbarn und …

»Vielleicht kommen Sie lieber ein anderes Mal wieder«, sagte Frau Eule, und die Stinkehose nickte.

»Ja, das ist wahrscheinlich besser.« Sie schluckte schwer. »Es tut mir wirklich leid.«

»Seht ihr das?«, fragte Herr König. »Ihr stehen auch die Tränen in den Augen! Sie meint es wirklich ernst.«

Die Stinkehose ließ den Kopf hängen und bewegte sich langsam Richtung Tür.

»Herrjemine, ich war doch nur fünf Minuten

weg!«, rief Gustaf, der mit einem Satz wieder in den Laden gesprungen kam. »Das ist doch kein Grund zu weinen! Huhu, hier bin ich wieder – Gustaf, euer Gute-Laune-Kater.«

Unter mein Schluchzen mischte sich ein kleines Lachen.

»Na los«, meinte Herr König. »Sag ihr doch wenigstens eine Sache, über die Lene sich freuen würde. Unseren Laden soll niemand traurig verlassen.«

Lene las am liebsten Abenteuergeschichten oder fantastische Sachen mit mächtigen Zauberern.

»Schlangen«, sagte ich mit verheulter Stimme, die gar nicht nach mir klang.

Die Stinkehose drehte sich noch mal um. »Was hast du gesagt?«

»Schlangen. Lene interessiert sich total für Schlangen.«

Über das Gesicht meiner Lehrerin huschte ein kleines Lächeln. »Danke«, sagte sie, und eigentlich konnte sie einem fast leidtun. Denn Lene hasste nichts mehr als Schlangen.

Rettung für Klopsi

Ohne die nachmittägliche Aufmunterung von Frau Eule, Gustaf und Herrn König hätte ich die erste Schulwoche wahrscheinlich nicht überlebt. Und ohne mein Freundinnenbuch, mein Handy und Finns Rechner (den er mir doch manchmal gnädig überließ) schon gar nicht.

Lene erzählte mir am Telefon von ihrer neuen Schule und ihrer doofen Sitznachbarin und ich ihr von unserer alten Schule und von meinem gar nicht so doofen Sitznachbarn. Inzwischen hatte ich eingesehen, dass Leo eigentlich ziemlich cool war, aber natürlich war er trotzdem nicht Lene.

Die erste Schulwoche war also rum und jetzt stand mir das Wochenende bevor. Das war einerseits gut, weil ich mir nicht das dämliche Gerede von Vivi und Sarah anhören musste und ich den ganzen Samstag im Buchladen sein konnte. Andererseits hatte ich sonst immer ziemlich viel Zeit mit Lene verbracht, wir hatten Waffeln gebacken, uns verkleidet oder einen Flohmarktstand an der Straße aufgebaut. Eine unserer Lieblingsbeschäftigungen am Wochenende war es gewesen, Klopsi auszuführen. Aber nicht einfach nur so, sondern wir stellten uns dabei immer vor, irgendwo anders zu sein. Also in Paris oder in einer unterirdischen Stadt oder im Schlaraffenland. Wir unterhielten uns so, als wären wir wirklich an diesem anderen Ort, also Lene sagte zum Beispiel: »Siehst du, wie schön der Eiffelturm von der Sonne angestrahlt wird?«, und ich antwortete: »Oui, das ist fantastisch! Wollen wir zum Abendessen ein Baguette mitnehmen?«

Vielleicht konnte ich Lene wenigstens in Gedanken in mein Wochenende holen, wenn ich mir Klopsi schnappte und mich an einen anderen Ort träumte.

»Ich gehe Brötchen holen!«, rief ich also Samstagmorgen, denn da frühstückten wir immer alle zusammen. Keine Ahnung, ob mich jemand hörte – Papa hatte sich schon in seiner Dunkelkammer verbarrikadiert, Mama föhnte sich im Bad die Haare, und die anderen hatte ich noch nicht gesehen.

»Klopsi«, rief ich, und der dicke schwarze Mischling mit den Schlappohren kam so langsam aus seinem Körbchen unter der Garderobe hervorgetrottet, dass ich Angst hatte, er würde jeden Moment wieder einschlafen. Ich winkte mit der Leine, in der Hoffnung, dass er sich über ein bisschen Auslauf freuen würde, aber er hätte wahrscheinlich lieber ein schönes Leberwurstbrot gefuttert. Ich legte Klopsi also gegen seinen Willen die Leine an und zog ihn hinter mir her aus der Haustür.

Diesmal malte ich mir aus, dass ich in eine unheimliche Vampirstadt geraten war. Es war dunkel, und ich stellte mir vor, wie Lene und ich uns an den Händen hielten, als wir durch eine menschenleere Gasse gingen, die von alten Laternen nur schwach erleuchtet wurde.

Laterne war leider ein ganz schlechtes Stichwort, denn Klopsi blieb an jeder stehen und schnupperte ausgiebig daran. So funktionierte das nicht mit der Vampirstadt! Und zum Bäcker würde ich es bei diesem Tempo heute auch nicht mehr schaffen. Ich überlegte, Klopsi hier anzuleinen und schnell allein zum Brötchenholen zu flitzen, aber das konnte ich dem armen Kerl nicht antun. Also wartete ich geduldig, bis er alles beschnuppert hatte, versuchte mich währenddessen in Gedanken nach London und, als das nicht klappte, in das Haus von Pippi Langstrumpf zu denken, doch ich konnte mich überhaupt nicht mehr konzentrieren. Lene musste ich mir irgendwie anders herholen, am besten skypten wir später noch mal, oder ich überredete Mama und Papa, dass ich sie bald besuchen fahren durfte.

Als wir die Bäckerei erreichten, band ich Klopsi ein paar Meter entfernt an einer Parkbank fest und lief in den Laden. Das hatte ich schon unzählige Male so gemacht, trotzdem blickte mir diese treue Seele von Hund hinterher, als wäre es ein Abschied für immer.

Die Schlange war lang und das Warten kam mir vor wie eine Ewigkeit. Ich versuchte, von hier aus einen

Blick auf Klopsi zu erhaschen, doch die parkenden Autos versperrten mir die Sicht. Als ich endlich dran war, ratterte ich meine Bestellung runter und flitzte dann mit der Brötchentüte unter dem Arm wieder los, ohne auf das Wechselgeld zu warten.

Klopsi war nicht mehr an der Bank angebunden, das sah ich sofort. Mist, Mist, Mist. Ich rannte schneller und fing an, nach ihm zu rufen: »Klopsi! Wo bist du? Klopsiiii, ich bin wieder dahaaa!« Panisch blickte ich mich um, denn weit konnte er doch eigentlich nicht gekommen sein. Mein Herz hämmerte wie wild. »Klopsi?«

Da hörte ich ein herzzerreißendes Winseln und gleichzeitig ein gemeines Lachen. Auf der Wiese neben dem Jugendzentrum standen drei große Jungs, die ich von Finns Schule kannte. Sie hatten einen Kreis gebildet und warfen sich etwas zu. Ich konnte nicht erkennen, was es war, aber es musste irgendetwas sein, das Klopsi unbedingt haben wollte. Denn der sprang zwischen ihren Füßen herum und winselte wie verrückt.

»Na, du kleiner Fettsack? Da musst du wohl noch ein bisschen trainieren, was?«, sagte einer der Jungen und warf irgendetwas Schwabbeliges rüber zum nächsten. Eine Wurst! Keine Ahnung, woher sie die hatten, aber ich wusste, dass Klopsi für Würstchen sterben würde. »Na komm, hol's dir, Schwarte!«, rief der andere Junge, und ich konnte kaum mit ansehen, wie der arme Klopsi sich abquälte. Ich rannte Richtung Wiese.

»Hey, hört auf!«, rief ich, als ich die Jungs erreicht hatte.

»Was willst denn du Zwerg?«, fragte der eine und grinste frech.

»Meinen Hund wiederhaben!«, antwortete ich wütend.

»Das ist doch kein Hund! Das ist eine Bowlingkugel mit vier Beinen!« Die Jungs lachten. »Außerdem haben wir gerade einen Riesenspaß zusammen. Den Klops kannst du nicht einfach so wieder mitnehmen.«

»Klopsi, komm!«, befahl ich und versuchte, ihn heranzulocken. Doch der Hund interessierte sich überhaupt nicht für mich, sondern nur für das Würstchen.

»Bitte, hört auf«, sagte ich und sah die Jungs an.

»Wir denken gar nicht dran!«

»Klopsi«, rief ich verzweifelt und spürte, wie mir die Tränen in die Augen stiegen. Diese Kerle waren viel größer und stärker als ich. Was, wenn sie Klopsi einfach mitnahmen?

»Was soll der Mist?«, hörte ich da eine Stimme hinter mir, die mir irgendwie bekannt vorkam. »Lasst sofort den Hund in Ruhe und verzieht euch!«

Ich drehte mich um. »Leo!«

Ich wäre ihm am liebsten um den Hals gefallen, aber das ging natürlich nicht.

»Wer bist du denn?«, grölte der Anführer der Jungs. »Willst du deine kleine Freundin retten?«

Die Röte schoss mir ins Gesicht, und ich hoffte, dass Leo das nicht bemerkte. Doch der stand schon gar nicht mehr neben mir, sondern lief todesmutig in Klopsis Richtung. Obwohl er mindestens zwei Köpfe kleiner war als die Typen, stellte er sich einfach zwischen sie und fing mit einer Hand die Wurst, die gerade wieder durch die Luft sauste. Dann biss er genüsslich hinein. Die Jungs rissen verdattert die Augen auf. »Hey, Spielverderber!«, rief der eine, während die anderen beiden nur abwinkten und über die Wiese davongingen.

Klopsi war ganz irritiert darüber, dass die Wurst nicht mehr durch die Luft flog, doch als er merkte, dass Leo sie hatte, sprang er an dessen Bein hoch und winselte.

»Na los, komm mit zu deinem Frauchen«, rief dieser und lockte Klopsi hinter sich her. Als sie wieder bei mir waren, hielt Leo die Wurst vor Klopsis Nase, und *Happs!* war sie verschwunden.

»Danke«, sagte ich und lächelte Leo an. »Das war ziemlich cool von dir.«

»Ich spiele Handball«, sagte Leo mit einem Grinsen. »Da schnappt man dem Gegner zwar keine Würstchen weg, aber ab und zu mal einen Ball.«

»Verstehe«, sagte ich. »Sollte ich vielleicht auch mal versuchen. Falls sich Klopsi wieder so veräppeln lässt.«

»Die Mädchenmannschaft trainiert immer donnerstags um vier«, sagte Leo und ging zu seinem Fahrrad, das er gegen einen Baum gelehnt hatte. »Kannst du dir ja überlegen.« Damit stieg er auf und fuhr los. »Bis Montag!«, rief er noch, und dann war er verschwunden.

Als ich nach Hause kam, wartete meine Familie schon. Kaum hatte ich die Brötchen auf den Tisch gelegt, stürzten sie sich darauf, als hätten sie seit Wochen nichts zu essen bekommen. »Warum hat das denn so lange gedauert?«, wollte Mama wissen, doch den wahren Grund wollte ich ihr nicht verraten.

»War total viel los!«, antwortete ich, und das war ja noch nicht mal gelogen. Ich setzte mich an den Tisch. Mama zuckte mit den Schultern und blätterte dann weiter in einem Prospekt.

Papa studierte die Zeitung und tauchte geistes-abwesend sein Croissant in Jakobs Apfelschorle. »Hey, schau mal, Clara, deine Buchhandlung ist in der Zeitung«, sagte er. »Eine tolle Idee!« Er schob mir die Seite rüber und tippte auf ein kleines Käst-chen bei den Anzeigen zum Thema »Vermischtes«.

Wir LIEBEN unsere Kunden! Deshalb bekommen Sie heute ein Buch geschenkt. Einzige Vorausset-zung: Verkleiden Sie sich als Ihre Lieblingsroman-figur und kommen Sie zwischen 11 und 12 Uhr in unseren Laden. Wir freuen uns auf Ihr Kostüm!
Ihr Wunschbuchladen

Ich lächelte. Ja, das klang ganz nach Frau Eule! Die Idee musste ihr gestern Abend gekommen sein, denn solange ich im Laden gewesen war, hatte sie diese Aktion mit keiner Silbe erwähnt.

»Was steht denn da?«, fragte Oma und schielte mir neugierig über die Schulter. Niemand in unserer Familie war neugieriger als Oma. Ihr entging nichts, und sie steckte ihre Nase in alle Angelegenheiten, auch wenn sie die Hälfte davon fast sofort wieder vergaß. Jetzt klatschte sie in die Hände. »Ach, die liebe Frau Eule! Was für Ideen die wieder hat! Da bin ich dabei!«

»Ich auch!«, rief mein Vater entschlossen. Dass es in unserer Familie laut zuging, unterschied uns wahrscheinlich nicht groß von anderen Familien, aber die Tatsache, dass wir alle es liebten, uns zu verkleiden, war schon etwas Besonderes. Also alle bis auf Mama. Und im Moment auch Finn, weil er gerade in der Pubertät war. Aber wenn es nach Papa und Oma ging, wäre jedes Familienfest eine Mottoparty.

»Werde mich gleich mal umziehen gehen«, sagte Papa. So schnell, dass mein Blick ihm kaum folgen konnte, sprang er vom Tisch auf, stieß dabei fast seine Kaffeetasse um und eilte dann durch den Flur ins Schlafzimmer. Mama sah ihm kopfschüttelnd hinterher. »So sieht also ein gemütliches Samstagmorgenfrühstück aus«, murmelte sie und widmete sich wieder den Prospekten.

»Als was willst du dich denn verkleiden?«, fragte ich Oma, die Klopsi gerade heimlich ein Stück von ihrem Mettwurstbrötchen zuwarf.

»Verkleiden? Ich will mich auch verkleiden!«, rief Jakob und fuchtelte mit seinen schokoverschmierten Händen wie wild in der Luft herum. »Als Pirat!«

Oma wischte sich den Mund mit einer Serviette ab. »Und ich als Schwester ... Dings!«

»Du meinst Schwester Ingeborg?«

»Sag ich doch«, meinte Oma zufrieden.

Schwester Ingeborg war die Assistentin von Doktor Bernhardt, und die beiden waren die Hauptfiguren in den dünnen Heftchenromanen, die Oma immer las.

Wieder dachte ich an Lene. Wenn sie noch hier gewesen wäre, hätte ich sie sofort angerufen. Wir hätten uns zwei supertolle Kostüme gebastelt und wären vielleicht als Vampirschwestern gegangen. Jetzt musste ich allein überlegen, in welche Rolle ich

schlüpfen wollte, und das fiel mir gar nicht leicht,
denn ich hatte so einige Lieblingsbuchfiguren.

Aber wenigstens war mein Samstag gerettet, selbst
ohne Lene. Denn mit dem verkleideten Papa, Oma
im Krankenschwesternkittel und Jakob als Pirat zu
einer von Frau Eules Aktionen zu gehen, das würde
bestimmt lustig werden.

»So, alle, die sich verkleiden wollen, Abmarsch«,
sagte meine Mutter und fing an, das Geschirr zu-
sammenzuräumen. »Und alle anderen helfen mir.«

Ich musste kichern, als ich Finns entgeisterten
Gesichtsausdruck sah, und rannte nach oben in mein
Zimmer. Im Flur begegnete ich Papa, der dieselbe
Jeans trug wie vorhin und sich einfach nur ein anderes T-Shirt angezogen hatte. Außerdem hatte er sich
seine Kamera um den Hals gehängt. »Ich dachte, du
wolltest dich verkleiden«, sagte ich.

»Hab ich doch«, entgegnete er.

»Und als was?«, wollte ich wissen.

»Ich gehe als Friedrich Jacobsen.«

Friedrich Jacobsen war er selbst.

»Ich glaube, so war das nicht gedacht«, erklärte
ich. »Da stand doch, man soll sich als seine Lieblings-
buchfigur verkleiden. Und du bist doch keine …«

»Noch nicht!«, sagte mein Vater mit einem breiten Grinsen. »Aber bald! Ich arbeite schon seit einiger Zeit an meiner Biografie.« Damit schob er sich an mir vorbei und ging pfeifend zurück in die Küche.

Ich stellte mich vor das Bücherregal in meinem Zimmer, das fast mit der Kinderbuchecke in Frau Eules Laden mithalten konnte. Vielleicht nicht von der Anzahl der Bücher her, aber von der Vielfalt. Und das hatte ich Frau Eule zu verdanken. Sie gab mir immer wieder Bücher, die ich mir selbst nie ausgesucht hätte. So wie das Buch mit der außerirdischen Katze zum Beispiel.

Ich strich mit dem Zeigefinger die Reihen entlang, bis ich an einem Buch hängen blieb. Und dann war mir klar, als was ich mich verkleiden würde: Wenn mir schon meine Vampirschwester fehlte, dann würde ich als Lysann, die Vampirprinzessin, gehen.

Lysann, die Vampirprinzessin

Es dauerte eine halbe Ewigkeit, bis wir alle verkleidet waren und endlich loskonnten. Mein Kostüm war mit Abstand das aufwendigste gewesen, doch jetzt sah ich fast genauso aus wie Lysann auf dem Buchcover. Ich trug ein schwarzes Kleid von Mama, das sie unten einfach ein Stück abgeschnitten hatte. Außerdem hatte sie noch schnell ein paar lila- und rosafarbene Tüllstreifen drangenäht und aus Draht und Alufolie eine Krone gebastelt.

Es muss ziemlich lustig ausgesehen haben, als wir aus dem Haus auf die Straße traten – eine Vampirprinzessin, ein Pirat, eine Krankenschwester und ein Fotograf. Wenn doch nur Lene dabei gewesen wäre! Trotzdem fühlte es sich gut an, dass ich wenigstens einen Teil meiner Familie als Gesellschaft hatte – wir waren viel zu selten zusammen im Wunschbuchladen. Schade, dass Mama und Finn nicht auch noch mitgekommen waren.

Obwohl ich normalerweise nur drei Minuten dorthin brauchte, dauerte es heute mindestens zehnmal so lange. Denn sobald wir zwei Schritte gegangen waren, hielt Papa eine Hand hoch wie ein Verkehrspolizist und rief: »Stehen bleiben, bitte!« Dann ging er in die Knie oder stellte sich auf die Zehenspitzen oder verrenkte sich sonst irgendwie, um uns zu fotografieren. Am Anfang machten wir noch alle mit und warfen uns ordentlich in Pose, aber nach einiger Zeit schnitten wir Fratzen und machten Verrenkungen, was besonders bei Oma lustig aussah.

»Das werden tolle Bilder«, rief Papa begeistert und lief mit der Kamera vorm Gesicht rückwärts vor uns her. Erst als er mit dem Hintern gegen einen Stromkasten stieß, ließ er mit einem »Autsch, das zwiebelt« von seinem Fotoapparat ab, und wir konnten die letzten paar Meter ungestört weitergehen.

Wir waren total aufgekratzt, als wir beim Buchladen ankamen, und ich hüpfte vor Freude in die Luft, als ich sah, dass der Bär los war. Die Leute strömten in den Laden, der gleich aus allen Nähten platzen würde. Herr König kam bestimmt gar nicht hinterher mit seinem Leute-Analysieren – wahrscheinlich war ihm schon ganz schwummerig von den vielen Eindrücken. Ich entdeckte ein Schneewittchen, zwei Trolle, einige Jedi-Ritter, einen Seemann und jemanden, der ebenfalls nach Vampirprinzessin Lysann aussah. Ein paar Leute waren richtig toll verkleidet, andere schienen genau wie Papa als sie selbst zu gehen. Da würden im nächsten Jahr wahrscheinlich unheimlich viele neue Biografien auf den Markt kommen.

»Clara!«, rief Gustaf und kam uns aufgeregt entgegengelaufen. Seltsamerweise war er selbst gar nicht verkleidet – ich hätte mit König Gustaf gerechnet oder einer Figur aus einem schwedischen Kinderbuch. »Gut, dass du da bist! Sieh dir das an!«

Ich musste versuchen, die anderen loszuwerden, damit ich ihm antworten konnte. »Wollt ihr nicht auch schon mal reingehen und euch euer Buch abholen?«, schlug ich vor, und Oma stürzte sich mit Jakob an der Hand gleich ins Getümmel. Mein Vater war sowieso längst verschwunden und schoss eifrig Bilder.

»Mensch, da hatte Frau Eule ja wieder mal eine geniale Idee«, sagte ich, als alle außer Hörweite waren. »Es sind wirklich superviele Leute gekommen! Die sind bestimmt total begeistert, oder?«

»Im Moment ja!«, sagte Gustaf und tigerte seltsam aufgeregt hin und her. »Aber noch wissen sie auch nicht, dass es gar keine Bücher zu verschenken gibt!«

»Was?«, fragte ich. »Wie kann das denn sein? Es stand doch in der Zeitung.«

»Die Anzeige war gar nicht von Frau Eule! Es muss irgendjemand gewesen sein, der uns eins auswischen will. So viele Bücher kann Frau Eule gar nicht verschenken, dann hat sie kein Geld mehr.«

Stimmt, wieso war mir das nicht gleich aufgefallen? So eine tolle Idee war das überhaupt nicht. Ich stellte mich auf die Zehenspitzen, um einen besseren Blick in den Laden zu bekommen. »Und jetzt?«

»Ich weiß es nicht, ich weiß es nicht«, jammerte Gustaf. »Ich hoffe, das endet nicht in einer Katastrophe!«

Gustaf neigte dazu, alles sehr, sehr negativ zu sehen und immer gleich den Teufel an die Wand zu malen.

»Na komm«, sagte ich. »Wir gehen mal rein. Frau Eule fällt bestimmt was ein.«

Ich nahm Gustaf auf den Arm, damit ihm niemand auf die Pfoten trat, und schob mich langsam durch das Gedränge.

»Willkommen, willkommen!«, hörte ich Frau Eule rufen. »Wie schön, dass Sie alle den Weg in meine Buchhandlung gefunden haben.« Ihre Stimme klang fröhlich wie immer. Sie winkte mir und ich kämpfte mich mit Gustaf weiter zu ihr durch. Ihr Zopf war zwar ein wenig zerzaust, aber sie strahlte und stand in ihrem grünen Kleid da wie eine Königin. »Welch ungeahnte Überraschung am Morgen!«, sagte sie leise. »Aber wie ihr wisst, liebe ich Überraschungen!«

»Aber … aber … die Leute!«, maunzte Gustaf. »Die werden doch gleich fuchsteufelswild, wenn sie nichts geschenkt bekommen!«

»Gustaf«, sagte Frau Eule und tätschelte dem Kater liebevoll den Kopf. »Wir müssen nur kreativ werden. Streng deine kleinen grauen Katerzellen ruhig ein wenig mit an! Uns wird schon etwas einfallen.«

Ich sah mich um und beobachtete die Leute, die sich vor den Regalen drängten, in Büchern blätterten oder sich in Gruppen zusammentaten, um sich von Papa fotografieren zu lassen. Es herrschte richtig gute Stimmung. Bei allen bis auf Gustaf und Herrn König. »Finger weg!«, rief der nämlich gerade, als sich drei Mädchen vor ihm aufbauten und eine sanft über seinen goldenen Rahmen strich. »Ich kann es kaum ertragen«, jammerte er. »Ich bin von oben bis unten voll mit schmierigen Fingerabdrücken. Und vorhin hat sich sogar ein Kind seine Nase an mir platt gedrückt. Was ich da gesehen habe, wollt ihr gar nicht wissen!«

Frau Eule fing schallend an zu lachen, sie quietschte und schnaufte, und ich konnte gar nicht anders, als mitzulachen. Erst sahen uns die Leute fragend an, aber irgendwie schien dieses Lachen so ansteckend zu sein, dass plötzlich auch zwei ältere Damen gluckstena und die drei Mädchen vorm Spiegel, dann ging es in einer Kettenreaktion weiter, und irgendwann lachte der ganze Buchladen. So etwas Irres hatte ich noch nie erlebt. Manche Leute hatten Tränen in den Augen und klopften sich auf die Schenkel, und selbst vorm Schaufenster standen Gäste, die kicherten.

Nur einer nicht. Einer guckte wie sieben Tage

Regenwetter. Herr Schlurz stand mitten im Laden. Schlagartig wurde mir klar, wessen Idee die Anzeige gewesen sein musste. Aber was hatte er damit bezwecken wollen? Was auch immer es gewesen war, es war gehörig nach hinten losgegangen. Ich stieß Frau Eule glucksend in die Seite, und sie rief ihm ein fröhliches »Arrivederci« hinterher, als er kopfschüttelnd abwinkte und sich wieder aus dem Staub machte. Wer sich mit Frau Eule anlegen wollte, musste schon ein bisschen gewitzter sein.

»Tschüss, Schlurzfurz!«, rief Gustaf, der durch das viele Lachen der anderen offensichtlich auch wieder bessere Laune bekommen hatte.

Doch unter all das Glucksen, Prusten und Kichern mischte sich plötzlich die Frage, vor der ich mich die ganze Zeit gefürchtet hatte. »Wann bekommen wir denn eigentlich unser Buch?«, wollte eine Frau wissen. Jetzt hörten auch einige andere Leute auf

zu lachen und sahen erwartungsvoll in unsere Richtung.

»Ach, Sie können mich ja gar nicht sehen«, sagte Frau Eule und stieg kurzerhand auf den Verkaufstresen. Sie wischte die letzten Lachtränen von ihrer Wange und räusperte sich. »Zunächst einmal freue ich mich sehr, dass Sie alle den Weg zu uns gefunden und jetzt so viel Spaß in unserer Buchhandlung haben. Es ist sensationell, welche Mühe Sie sich gegeben haben und wie viele unterschiedliche Romanfiguren hier versammelt sind.«

»Wenn das keinen Applaus wert ist!«, rief Papa dazwischen und fing an zu klatschen. Ein paar Leute stimmten mit ein, die anderen hörten weiter interessiert zu. »Allerdings mussten wir ein wenig umplanen. Selbstverständlich darf sich jeder ein Buch mitnehmen, wie in der Anzeige versprochen. Aber …«

Ich war gespannt, was jetzt kam.

»Ich möchte Sie bitten, in unser großes Sparschwein hier« – woher sie das so schnell hatte, war mir ein Rätsel, doch auf der Verkaufstheke stand plötzlich ein riesiges, rosafarbenes Porzellanschwein – »so viel einzuwerfen, wie Ihnen das Buch wert ist. Und den Gewinn werden wir für eine gute Sache spenden. Einverstanden?«

»Genial!«, rief Herr König begeistert. »Frau Eule ist genial!«

»Und wem spenden wir das Geld?«, fragte Gustaf aufgeregt. »Mir würde da einiges einfallen!«

»Das überlegen wir uns in Ruhe«, flüsterte Frau Eule. »Das Wichtigste ist jetzt erst mal, dass die Leute zufrieden aus dem Laden gehen.«

Durch die Reihen ging ein zustimmendes Murmeln, niemand schien aufgebracht oder verärgert zu sein. Die Leute nickten und holten ihre Portemonnaies hervor und bald schon klimperten die ersten Münzen im Schwein.

»Sie können das Geld natürlich auch nachträglich vorbeibringen!«, sagte Frau Eule noch. »Wenn Sie das Buch ausgelesen haben. Und wenn es Ihnen nicht gefällt, dann zahlen Sie gar nichts.«

Damit stieg sie wieder vom Tresen und strich sich das Kleid glatt. »Nur bitte passen Sie auf, dass Sie mir nicht auf die Füße treten. Seien Sie so gut.«

Die ersten Leute schoben sich wieder zum Ausgang, wo sie jedoch mit einem »Halt, halt, halt« von Papa gestoppt wurden. »Laufen Sie nicht gleich davon! Ich möchte gerne noch ein Gruppenfoto machen. Und zwar von ALLEN Romanfiguren! Wir versammeln uns vor dem Schaufenster, ja? Eine solche Gelegenheit gibt es so schnell nicht wieder!«

Er zwinkerte Frau Eule verschwörerisch zu.

»Danke, Clara«, sagte Frau Eule.

»Wieso danke?«, fragte ich. »Ich habe doch gar nichts gemacht.«

Sie lächelte ein zufriedenes Lächeln. »Doch, doch, doch.«

Jetzt musste ich auch lachen. »Gern geschehen«, sagte ich sicherheitshalber.

Durch das Schaufenster konnte ich sehen, wie mein Vater die Leute in die richtige Position brachte.

»Du musst natürlich auch aufs Foto«, sagte Gustaf zu mir. »Und ein Vertreter unseres Ladens! Also, ich würde mich freiwillig bereit erklären. Du kommst ja leider nicht von der Stelle, Spiegelchen.«

»Das ist nicht lustig!«, entgegnete Herr König beleidigt. »Aber mit diesen Fettflecken auf meiner Oberfläche möchte ich sowieso nicht in die Zeitung.«

»Ich kümmere mich gleich drum«, sagte Frau Eule.

Gustaf und ich gingen also vor die Tür und wurden von meinem Vater etwas an den Rand gestellt.

»Also, ich müsste eigentlich in der Mitte sitzen«,
maulte Gustaf. »Als rechtmäßiger Vertreter und gute
Seele dieses Ladens.«

»Quatsch«, beruhigte ich ihn. »Da würdest du total untergehen. Hier kommst du super zur Geltung.«
Der Kater setzte sich aufrecht hin und streckte
extra noch seinen Hals, um bestmöglich aufzufallen.
»Ist mein Fell schön glatt oder steht es irgendwo
ab?«, fragte er.

»Alles perfekt«, sagte ich und blickte die Reihe
entlang. Und da entdeckte ich sie.

Die andere Lysann. Das Mädchen musste ungefähr
so groß sein wie ich und in meinem Alter. Im Gegensatz zu mir hatte sie eine Perücke auf und sah der
echten Lysann damit noch ähnlicher.

Plötzlich wurde es ganz kribbelig in meinem
Bauch. Wenn Lysann ihre Lieblingsromanfigur war,
hatte das fremde Mädchen bestimmt einen guten
Buchgeschmack. Das war bei Lene und mir genauso,
und deshalb wusste ich, dass das eine tolle Voraus-
setzung für eine Freundschaft war. Wenn dir deine
beste Freundin ein Buch auslieh oder schenkte,
konntest du dich darauf verlassen, dass es richtig gut
war. Natürlich würde ich niemals einen Ersatz für

Lene finden, das wollte ich auch gar nicht, aber vielleicht schadete es nicht, ein anderes nettes Mädchen zu kennen, mit dem man sich ab und zu treffen oder von dem man sich mal ein Buch ausleihen konnte?

»Auf drei!«, rief Papa in diesem Moment, weil inzwischen alle Leute aus dem Laden gekommen waren. Er machte ein paar Bilder und sagte dann: »Vielen Dank, meine Damen und Herren, das war's. Wahrscheinlich werden Sie sich schon bald in der Zeitung bewundern können.«

Nach und nach löste sich die Gruppe auf und ich bahnte mir meinen Weg in Lysanns Richtung. Vielleicht war heute mein Glückstag, auch wenn er so komisch angefangen hatte.

Ich behielt die silbrig glitzernde Krone fest im Blick, doch dann schob sich ein James Bond in mein Gesichtsfeld. Als ich mich an ihm und seinem Martiniglas vorbeigedrängt hatte, war meine Lysann wie vom Erdboden verschluckt. »Lysann?«, rief ich und blickte mich suchend um. Ich entdeckte Jakob, der sich gerade ein Duell mit Räuber Hotzenplotz lieferte, und Oma, die in eine angeregte Unterhaltung mit einem Doktor Bernhardt vertieft war, doch die Vampirprinzessin hatte sich in Luft aufgelöst. Genau wie im Buch – da hatte es wohl jemand ganz genau genommen mit seiner Verkleidung. Ich spürte, wie die Enttäuschung tief in mich hineinsickerte.

»Lass den Kopf nicht hängen«, sagte Gustaf aufmunternd. »Sonst bekommst du später einen fürchterlich langen Hals.«

Mir war nicht zum Lachen zumute, aber Gustaf gab nicht auf.

»Apropos Hals: Warum hat eine Giraffe einen so langen Hals?«

Ich schüttelte den Kopf.

»Weil ihr Kopf so weit oben ist!« Er lachte sein kreischendes Katzenlachen – wie immer, wenn er einen seiner Witze besonders lustig fand.

Ich hockte mich neben ihn. »Du bist echt der beste Kater, den ich kenne«, sagte ich und kraulte ihn hinter den Ohren. Ich liebte ihn schon allein für seinen Versuch, mich aufzumuntern.

»Aber jetzt sollten wir wieder reingehen und Frau Eule ein bisschen beim Aufräumen helfen.«

Dieser Tag war so aufregend gewesen, dass ich unmöglich alles in mein Freundinnenbuch schreiben konnte. Als ich nach Hause kam, hatte ich mir schon überlegt, womit ich Finn bestechen konnte, damit er mich an seinen Rechner ließ. Doch das war gar nicht nötig. Er war nämlich nicht da.

»Wo ist denn Finn?«, fragte ich Oma, die in ihrem Sessel saß und fernsah.

»Kindchen, stör mich bitte nicht bei meiner Serie«, murrte sie und verfolgte weiter das Geschehen auf dem Bildschirm. »Ich sage nur so viel: Beim Verlassen des Hauses hat er eine Duftwolke hinter sich hergezogen, als wolle er ein ganzes Mädcheninternat treffen.«

Ich verließ Omas Zimmer und hielt meine Nase in die Luft. Tatsächlich, es roch ganz schön stark nach Papas Aftershave. Ob Finn sich mit einem Mädchen verabredet hatte? Konnte ich mir gar nicht vorstellen. Aber darüber würde ich mir später Gedanken machen, denn jetzt musste ich erst mal mit Lene sprechen.

Sie war zum Glück online, als ich den Rechner hochfuhr, sodass ich sie gleich über Skype anrufen konnte. »Du glaubst nicht, was heute Verrücktes passiert ist«, begann ich überschwänglich, und dann berichtete ich ihr von der Zeitungsanzeige, wie wir uns verkleidet hatten und von Frau Eules Reaktion auf Herrn Schlurz' üblen Scherz. »Es war so was von cool, als Frau Eule meinte, die Leute könnten die Bücher einfach mitnehmen. Du hättest mal die Gesichter sehen sollen!« Ich redete und redete und bemerkte gar nicht, dass Lenes Mundwinkel immer weiter nach unten sanken.

»Du hast ja jede Menge Spaß ohne mich«, sagte Lene irgendwann traurig.

»Das stimmt doch gar nicht«, sagte ich, was nach meinem Gerede natürlich ziemlich unglaubwürdig klang. »Mit dir wäre es hundertmal lustiger gewesen, ehrlich. Ich hab auch die ganze Zeit an dich gedacht.«

»Das kommt mir aber nicht so vor«, sagte Lene. Sie wischte sich schnell mit der Hand durchs Gesicht – war da etwa eine Träne gewesen? »Falls es dich interessiert«, sagte Lene dann, »mir geht es überhaupt nicht gut. Ich vermisse meinen Papa und eine neue Freundin habe ich auch noch nicht gefunden.«

Das versetzte mir einen Stich. »Und mich vermisst du gar nicht?«, fragte ich blöderweise.

»Nee, meine beste Freundin vermisse ich natürlich nicht«, antwortete sie schnippisch. Irgendwie lief unser Gespräch in eine ganz falsche Richtung.

»Lene«, sagte ich. »Das ist alles so doof. Wir müssen uns einfach ganz schnell wiedersehen!«

»Was soll das bringen?«, fragte sie. »Danach bin ich nur noch trauriger.«

Ich wusste nicht, was ich dazu sagen sollte.

»Also dann!«, sagte Lene. »Viel Spaß bei all den tollen Sachen, die du so erlebst.« Und dann legte sie auf.

Und mir ging es schlechter als an dem Tag, an dem ich mich von meiner besten Freundin verabschiedet hatte.

Frau Eule in Sorge

Die nächste Woche war verregnet und grau und genau so war auch meine Stimmung. In Gedanken hörte ich Frau Eules Stimme rufen, dass heute kein Tag für schlechte Laune sei, aber das half leider auch nicht. Das Gespräch mit Lene ging mir einfach nicht aus dem Kopf und machte mich traurig. Wir hatten uns noch nie gestritten oder waren gemein zueinander gewesen. Zwar hatte sie mir hinterher noch geschrieben, dass es ihr leidtat, woraufhin ich mich ebenfalls entschuldigt und ihr noch mal versichert hatte, wie sehr ich sie vermisste – trotzdem blieb ein doofes Gefühl zurück. Ich hatte Angst, dass diese Trennung unsere Freundschaft kaputt machte. Dagegen musste man doch irgendetwas tun können!

Warum hatte ich nicht auch Frau Eules Talent, aus einer blöden Situation etwas Gutes herauszuholen? So wie am Samstag, als Herr Schlurz echt gemein zu ihr gewesen war und sie den Spieß einfach umgedreht hatte?

Wobei … So ganz hatte es leider nicht geklappt mit dem Spieß-Umdrehen, denn als ich abends noch mal in den Laden gegangen war, war Frau Eule richtig betrübt gewesen. Die Leute hatten zwar Geld gespendet, aber lange nicht so viel, wie die Bücher wert waren. Jetzt klaffte ein großes Loch in der Kasse, und Frau Eule hoffte, dass in den nächsten Tagen noch ein paar Kunden kamen, um ihre Bücher zu bezahlen. Sonst gäbe es ein ernsthaftes Problem, hatte sie gesagt. Ich wollte mir gar nicht ausmalen, was genau das bedeutete.

Heute war Donnerstag und ich trottete durch den Nieselregen über den Schulhof Richtung Turnhalle, wo wir gleich Sport hatten. Das einzig Gute an Sport war, dass es nicht von der Stinkehose unterrichtet wurde, sondern von einem netten Referendar. Ansonsten war es das Fach, das ich am wenigsten mochte. Als Lene noch hier gewesen war, hatte ich das nicht so schlimm gefunden, denn meine beste Freundin war eine richtige Sportskanone. Wenn wir irgendwelche Übungen zu zweit hatten machen müssen, war sie meine Partnerin gewesen, und wenn Mannschaften gewählt worden waren, hatte sie dafür gesorgt, dass ich in ihrem Team war. So hatte ich mich immer ein wenig in ihrem Schatten verstecken können.

Als ich mich umgezogen hatte und die Turnhalle betrat, breitete sich ein mulmiges Gefühl in meinem Bauch aus. Herr Borchers hatte die Handbälle aus dem Schrank geholt und die Ersten prellten schon damit durch die Gegend oder bewarfen sich gegenseitig. Ich konnte weder besonders gut werfen noch besonders gut fangen, deshalb setzte ich mich erst mal auf eine Bank.

»Bitte tut euch zu zweit zusammen und stellt euch gegenüber voneinander auf!«, rief Herr Borchers, und ich hoffte, dass wir eine ungerade Zahl waren, damit ich am Ende übrig blieb und vielleicht auf der Bank sitzen bleiben konnte. Die üblichen Paare (Vivi und Sarah, Nora und Lea, Nino und Darius ...) stellten sich auf, und schnell wurde klar, dass eine Person keinen Partner haben würde.

»Vivi, Sarah, ihr tauscht dann mal mit Clara durch, ja?«, sagte Herr Borchers und blies in seine Trillerpfeife. Zu früh gefreut, würde ich sagen. Ich sah zu, wie die beiden den Ball hin- und herwarfen, als sich die Tür zur Turnhalle öffnete. »Na das passt doch wunderbar!«, rief Herr Borchers. »Leo! Clara hat noch keinen Wurfpartner. Stellt euch hier hin, ja?«

Widerwillig erhob ich mich von der Bank und stellte mich an die schwarze Linie. Hatte Leo nicht erzählt, dass er Handball spielte? Das würde eine einzige Blamage für mich werden.

»Bist du bereit?«, fragte Leo, und ich nickte. Er nahm den Ball und warf ihn in meine Richtung. Nicht zu fest und nicht zu lasch, sondern genau so, dass ich ihn fangen konnte. *Wahrscheinlich nur Zufall*, dachte ich und warf den Ball zurück. Er flog gerade mal bis zur Mittellinie, doch Leo sprintete so schnell dorthin, dass er den Ball noch schnappte. »Nicht schlecht«, sagte er. »Mit ein bisschen Training kannst du bei deinem nächsten Ausflug mit Klopsi auch Würstchen aus der Luft fangen.«

Ich musste lachen und fing auch den nächsten Ball, den Leo mir zuwarf. »Und jetzt mit ein bisschen mehr Schmackes zu mir zurück, okay?«, rief er, und ich nahm all meine Kraft zusammen. Und tatsächlich, der Ball flog in hohem Bogen auf Leo

zu, der den Blick nach oben gerichtet und die Arme
ausgestreckt hielt. Mein Wurf ging sogar weiter als
gedacht, sodass Leo mit ausgestreckten Armen ein
paar Schritte zurück machte – und dabei den Ball
von Nino und Darius nicht sah, der gerade hinter
ihm entlangkullerte. »Vorsicht!«, rief ich noch, doch
Leo trat darauf und knickte ganz blöd um. »Au!«,
schrie er mit schmerzverzerrtem Gesicht, »mein
Fuß!« Sofort kam Herr Borchers angerannt und zog
Leo den Schuh aus. »Kannst du ihn bewegen?«

»Ja«, presste Leo hervor.

»Das muss gekühlt werden«, sagte Herr Borchers.
»Clara, lauf in die Lehrerumkleide und hol ein Gel-
kissen aus dem Kühlschrank!« So schnell hatte mich
Herr Borchers wahrscheinlich noch nie laufen sehen.
In Windeseile war ich mit dem Kühlkissen zurück.
»Danke!«, sagte Leo, der inzwischen auf der Bank
saß und sein Bein darauf ausgestreckt hatte.

»Das tut mir so leid!«, sagte ich und war wirklich
betrübt. Dass ich mit meiner Unsportlichkeit anderen schadete, war bisher noch nicht vorgekommen.

Leo drückte das Kühlkissen auf seinen Knöchel.
»Ach, so schlimm ist es gar nicht. Und du kannst
doch nichts dafür, dass ich gestolpert bin.«

»Wenn ich nicht so blöd geworfen hätte …«

»Quatsch, jetzt hör auf. Da habe ich beim Handball schon viel schlimmere Würfe gesehen!« Er grinste. »Das nächste Training absolvieren wir einfach im Park mit einer Packung Würstchen, abgemacht?« Leo hielt mir seine Hand entgegen. »Abgemacht«, sagte ich und schlug ein. Wie eine echte Sportskanone.

Trotzdem konnte ich mich den restlichen Schultag über kaum konzentrieren. Ich hatte ein schlechtes Gewissen wegen Leo und hoffte, dass ich ihm jetzt nicht seine Handballkarriere versaut hatte.

Als die Stinkehose in der vierten Stunde das Klassenzimmer betrat, spürte ich, wie die Wut in mir hochstieg. Wäre Lene noch hier gewesen, hätte der Sportunterricht mit Sicherheit anders ausgesehen. Leo würde nicht humpeln, ich hätte kein schlechtes Gewissen und alle wären glücklich und zufrieden. Diesen Streit zwischen Lene und mir hätte es natürlich auch nicht gegeben. War der Stinkehose überhaupt klar, was sie anrichtete? Ich fand, dass es an der Zeit war, ihr das mal zu sagen. Manchmal muss man seinem Ärger einfach Luft machen, sagte Frau Eule immer, damit man wieder klar denken kann.

Deshalb ging ich nach der Stunde zu ihr nach vorne und fragte, ob ich doch eines von diesen Glitzerheften bekommen könnte.

»Aber selbstverständlich!«, rief die Stinkehose überschwänglich. »Zwei müsste ich noch haben.« Sie wühlte in ihrer großen Tasche, und ich überlegte, was sie neben Glitzerheften wohl noch alles mit sich herumschleppte. Vielleicht Blumensamen oder Besteck oder eine Taschenlampe oder Teebeutel … »Hier sind sie ja!«, sagte sie und wischte ein paar Kekskrümel vom Umschlag. »Welches hättest du gern?«

»Rot«, sagte ich und riss es ihr beinahe aus der Hand. Dann setzte ich mich – obwohl es gerade zur Pause geläutet hatte – mit dem Heft wieder an meinen Platz und begann, all das hineinzuschreiben, was mir durch den Kopf ging. Und das war ziemlich viel. So viel, dass ich gar nicht bemerkte, als die Pause irgendwann zu Ende war und die anderen wieder in die Klasse gestürmt kamen.

»Sitzt du etwa immer noch hier?«, fragte Leo und ließ sich auf seinen Stuhl fallen. Er versuchte, einen Blick auf die Seiten zu erhaschen, doch ich legte schnell meinen Arm darüber.

»Keine Angst, Mädchengeheimnisse interessieren

mich nicht die Bohne.« Er grinste. »Außer die meiner Schwester.«

Ich musste ebenfalls grinsen. »Solche Brüder kenne ich!«

Er fing an, in seiner Tasche zu wühlen. »Dann verstehen wir uns ja«, sagte er zufrieden. »Schokolade?«

»Eigentlich müsste ich dir Schokolade schenken«, sagte ich. »Eine Riesentafel als Entschuldigung.«

»Ach, da sage ich nicht Nein.« Leo lachte. »Aber nicht als Entschuldigung, sondern weil ich total schokoverrückt bin!«

Da hatte ich eine Idee. Denn Dank Frau Eule wusste ich schließlich, wo es die besten Schokoköstlichkeiten gab. Ich würde dem *Schokohimmel* bald einen ausführlichen Besuch abstatten und meinen Handballpatzer wiedergutmachen.

Am Ende hatte ich drei Seiten vollgeschrieben und war richtig erleichtert. Ich hatte nichts ausgelassen, und wenn die Stinkehose die Hefte einsammelte, würde sie vielleicht endlich einsehen, was sie alles angerichtet hatte. Und vielleicht würde sie begreifen, dass es besser wäre, sich von Lenes Papa zu trennen, damit Lenes Mama und meine beste Freundin zurückkehren konnten.

Nach der Schule ging ich wie immer zum Buchladen. Ich dachte wieder an die vielen verkleideten Leute, die am Wochenende dort gewesen waren, und an das riesengroße Durcheinander. Und an das Mädchen, das als Lysann verkleidet gewesen und leider nicht meine neue Freundin geworden war. Vielleicht kam sie irgendwann in nächster Zeit noch mal in den Laden, aber würde ich sie ohne ihre Verkleidung erkennen? Vielleicht konnte mir Herr König mit seinen hellseherischen Fähigkeiten helfen.

»In dieser Stunde, der erste … Ach Clara, du bist es«, sagte Gustaf von seinem Sessel aus. Ich schloss die Tür hinter mir und bemerkte gleich, dass irgendetwas anders war. Mein Blick wanderte die Regale entlang – dort sah alles so aus wie vorher. Dann fiel es mir auf: Es herrschte eine merkwürdige Stille. Normalerweise hörte man hier immer irgendwas, das Tapsen von Gustafs Pfoten auf dem Holzboden,

das Rascheln von Papier, das Abrollen von Paket-
band oder das Gerede von Herrn König. Da kam
Frau Eule aus ihrem Büro, setzte sich auf die Trep-
penstufen und stützte den Kopf in die Hände.

»Ist irgendwas passiert?«, fragte ich besorgt.

»Es ist halb zwei und es war noch kein einziger
Kunde im Laden«, antwortete Frau Eule leise. »So
ist es schon die ganze Woche.«

»Was?«, entfuhr es mir. Gerade donnerstags war
normalerweise viel los, weil die Leute ihre Bücher
ausgelesen hatten und Nachschub fürs Wochenende
brauchten. »Aber die Aktion am Samstag ist doch
super gelaufen. Und Papa hat mir erzählt, dass sein
Foto heute in der Zeitung erscheint!«

»Leider nicht«, sagte Frau Eule. So geknickt hatte
ich sie noch nie erlebt. »Dafür aber ein anonymer
Leserbrief, in dem sich darüber beschwert wurde,
dass in der Zeitung falsche Anzeigen geschaltet
werden. Dass kostenlose Bücher versprochen werden, die am Ende doch bezahlt werden müssen. Und
dass der Wunschbuchladen auf höchst unseriöse Weise
versucht, Kunden anzulocken.« Frau Eule schluckte.
»Außerdem ist bei der Aktion viel zu wenig Geld
reingekommen. Wenn nicht noch ein Wunder pas-

siert, weiß ich nicht, wie ich nächsten Monat die Miete für den Laden bezahlen soll.«

Ich spürte, dass mir plötzlich ganz flau im Magen wurde. Was, wenn nach dieser Beschwerde in der Zeitung keine Kunden mehr kamen? Wenn Frau Eule ihre Miete wirklich nicht mehr zahlen konnte? Wenn ihr das Geld für neue Bücher fehlte? Wenn Frau Eule ihren Laden ... schließen musste? Das durfte unter gar keinen Umständen passieren! Dieser Laden gehörte in unsere Stadt wie das Rathaus oder die große Kirche am Marktplatz!

Der gelbe Schmetterling, der sich schon lange nicht mehr von seinem Buchcover gelöst hatte, kam angeflattert und setzte sich auf Frau Eules Schulter, um sie zu trösten.

Als wäre die ganze Situation nicht schon schlimm genug, öffnete sich die Ladentür, und man hörte eine donnernde Stimme rufen: »Ist das nicht ein wunderschöner Tag?«

»Raus hier, aber sofort!«, schimpfte Herr König, was der Eindringling natürlich nicht hören konnte.

Frau Eule erhob sich, strich ihr grünes Kleid glatt und fragte freundlich: »Herr Schlurz, was kann ich denn heute für Sie tun?«

Der Störenfried sah sich um, als wäre er tatsächlich auf der Suche nach einem Buch. Am Ende blieb sein Blick aber wieder an Herrn König hängen. »Ich habe das Gefühl«, sagte Herr Schlurz, »dass es gerade nicht besonders gut um Ihre Geschäfte bestellt ist.« Er kicherte böse. »Ich wollte Sie nur daran erinnern, dass Sie den Spiegel bitte zu mir bringen, sobald Sie Ihren Laden auflösen.«

»Ich werde weder meinen Laden auflösen noch werde ich Ihnen den Spiegel bringen. Auf Wiedersehen!«, sagte Frau Eule ruhig, aber bestimmt.

Ein dicker Fantasy-Schmöker schob sich aus dem Regal neben Herrn Schlurz, flog haarscharf am Kopf des Antiquars vorbei und landete auf dem Boden. Herr Schlurz zuckte erschrocken zusammen.

»Ich kann Sie auch anzeigen!«, schimpfte er. »Wegen gefährlicher Körperverletzung!«

Plötzlich passierte etwas, das ich hier noch nie gesehen hatte. Vom Deckel des Buchs waberte grünlich schimmernder Nebel empor, der Herrn Schlurz einhüllte. Er hustete und wedelte mit den Händen, doch die Wolke um ihn herum wurde nur größer und dichter. »W...was soll das?«, stammelte er. »W...w... wollen Sie mich vergiften?«

»Was meinen Sie denn?«, fragte Frau Eule und tat ganz ahnungslos. »Geht es Ihnen nicht gut?«

»D…dieser Nebel. S…sorgen Sie dafür, dass der verschwindet!«

»Ich kann keinen Nebel sehen, Herr Schlurz. Clara, siehst du etwas?«

»Nein«, sagte ich und musste mir ein Lachen verkneifen.

»D…d…das wird ein Nachspiel haben!«, rief Herr Schlurz und verließ fluchtartig den Laden. Der Nebel zog sich sofort wieder aufs Buchcover zurück, als wäre nichts gewesen.

»Ha-ha«, lachte Gustaf. »Das war genial! Diesen Trick mit dem Nebel kannte ich noch gar nicht.« Ich wollte gerade einstimmen, als ich Frau Eule anblickte und sah, dass das Blitzen aus ihren Augen wieder verschwunden war. Als wir gerade Herrn Schlurz veräppelt hatten, war es noch zu sehen gewesen.

»Hey, heute ist kein Tag für schlechte Laune«, sagte ich, doch aus meinem Mund klang es nicht so überzeugend wie aus ihrem.

»Am Samstag sind die Leute ja immerhin noch in den Laden gekommen und wir konnten mit ihnen reden. Ausbügeln, was Herr Schlurz da angerichtet hat. Aber wenn jetzt einfach niemand mehr kommt …« Frau Eule redete nicht weiter.

»Vielleicht wird Papas Foto ja noch abgedruckt«, überlegte ich. »Oder wir denken uns eine neue Aktion aus, die ein paar Kunden anlockt.«

Frau Eule schüttelte den Kopf und sagte nichts mehr. Seitdem ich sie kannte, war so etwas noch nicht vorgekommen. Normalerweise hatte sie sofort einen klugen Spruch auf den Lippen, wusste immer Rat.

Im Büro klingelte das Telefon. »Telefon, ich komme schon!«, sagte Gustaf lahm. Normalerweise rief er diesen Spruch mit großer Begeisterung, doch er schien genauso schlecht drauf zu sein wie Frau Eule. Die verschwand und schloss die Tür hinter sich.

»Mist, Mist, Mist!«, sagte ich, als sie außer Hörweite war. »Das kann doch nicht sein!« Das flaue Gefühl im Magen blockierte meine Gedanken. Wenn doch Lene hier wäre! Der würde bestimmt etwas einfallen, um aus diesem Schlamassel rauszukommen.

»Ich gehe jetzt zu diesem Schlurzfurz und werde ihm gehörig die Meinung sagen!«, rief Gustaf.

Entschlossen sprang er auf und lief zur Tür. »Wenn ich in einer halben Stunde nicht zurück bin, ruft die Polizei! Dann bin ich in Lebensgefahr!«

»Gustaf«, sagte ich. »Herr Schlurz versteht dich nicht!«

»Er wird mich schon verstehen!«, antwortete er aufgebracht. »Ich kann schließlich auch fauchen und meine Krallen ausfahren!« Er führte es uns kurz vor.

»Katzentier, bleib hier!«, befahl Herr König. »Wir dürfen jetzt nichts Unüberlegtes tun!«

»Oh, du kannst ja auch reimen«, erwiderte Gustaf und lachte. »*Katzentier, bleib hier!* Nicht schlecht. Aber hast du eine bessere Idee?«

Herr König schien nachzudenken.

Genau wie ich.

»Das Wichtigste ist jetzt erst mal, dass Frau Eule wieder fröhlich wird«, sagte ich schließlich. »Dann fällt ihr bestimmt etwas ein!«

Wie wir das schaffen sollten, war mir allerdings ein Rätsel. Vielleicht würde ich erst mal in den *Schokohimmel* gehen und eine Ladung Schokotörtchen kaufen.

»Ich dichte etwas für sie!«, rief Gustaf und sprang wieder in seinen Sessel. »Das findet sie doch immer lustig!«

»Sie findet es schrecklich«, brummte der Spiegel.

»Du vielleicht, aber Frau Eule nicht!«, wehrte sich Gustaf.

»Hey, jetzt streitet euch nicht!«, schaltete ich mich ein. »Mir kommt da gerade so eine Idee.« Ich grinste, als ein Plan in meinem Kopf Form annahm.

Ich lauschte kurz, ob Frau Eule immer noch telefonierte. Hoffentlich nicht noch jemand, der sich bei ihr über die Aktion am Samstag beschweren wollte.

»Was hast du denn für eine Idee?«, fragte Gustaf.

»Also«, begann ich, und genau in diesem Moment kam Frau Eule wieder aus dem Büro. Sie sah nicht mehr ganz so niedergeschlagen aus wie vor dem Telefonat. »Das war ein sehr netter Herr von der Zeitung«, erklärte sie. »Der wollte mal nachfragen, was hier am Wochenende los war. Es sind wohl mehrere Beschwerdebriefe eingegangen, immer unter anderem Namen. Aber er hat den Verdacht, dass ein und dieselbe Person dahintersteckt.«

»Und wer diese Person ist, wissen wir alle!«, sagte Herr König empört.

»Außerdem hat er das nette Foto von deinem Vater bekommen, Clara, und konnte sich nicht erklären, wie das mit den Beschwerden zusammenhängt. Er will morgen mal vorbeikommen und sich selbst ein Bild von uns machen und dann einen Bericht schreiben.«

Ich spürte ein aufgeregtes Kribbeln in den Fingerspitzen, denn das passte genau zu meinem Plan, den ich jetzt nicht länger für mich behalten konnte.

»Kann er auch abends kommen?«, fragte ich deshalb.

»Aber da haben wir doch geschlossen«, antwortete Frau Eule und sah mich mit zusammengezogenen Augenbrauen an. Dann wanderten ihre Mundwinkel ein klitzekleines Stückchen nach oben. »Aber wie ich dich kenne, hast du dir irgendwas überlegt, stimmt's?«

Ich nickte. Und dann erzählte ich von meiner Idee. Frau Eule hörte mir gebannt zu und nach einer Weile lächelte sie selig. »Und das Ganze nennen wir Mondscheinschmökern«, schloss ich.

»Das ist der beste Einfall des Tages.« Frau Eule kam auf mich zu und umarmte mich. »Du bist ein Schatz!« Sie drückte mir einen Kuss auf die Wange, während Gustaf sich an mich schmiegte und Herr König »Respekt, Respekt« murmelte.

Ich wurde ein bisschen rot.

Und dann dachte ich, dass ich hier in Frau Eules Buchladen eigentlich die besten Freunde hatte, die man sich vorstellen konnte. Zwar nicht die gewöhnlichsten, aber welche, mit denen man durch dick und dünn gehen konnte.

Der sprechende Busch

Am nächsten Tag in der Schule hatte ich seltsamerweise den ganzen Vormittag kein mulmiges Gefühl in der Magengegend. Im Gegenteil, ich fühlte mich leicht und froh. Vielleicht, weil mir gestern klar geworden war, dass ich ziemlich tolle Freunde hatte und gar nicht so einsam war, wie ich manchmal dachte. Klar, ein Mädchen in meinem Alter war schon was anderes als eine Buchhändlerin, die möglicherweise älter war als meine Mutter, ein Spiegel mit hellseherischen Fähigkeiten und ein sprechender Kater mit schwedischer Abstammung, aber diese drei waren fabelhaft! Und für eine neue Freundin musste ich vielleicht einfach ein bisschen Geduld haben. Auch wenn das nicht gerade eine meiner Stärken war.

Außerdem war Lene ja immer noch meine beste Freundin. Auch wenn gerade alles ein bisschen komisch war. Gestern Abend hatten wir noch einmal telefoniert, und ich hatte ihr von unserem Plan erzählt und gefragt, ob sie nicht kommen könnte. Lene glaubte aber nicht, dass ihre Mutter das erlauben würde. Dann hatten wir schnell das Thema gewechselt. Lene hatte noch erzählt, dass sie ein Päckchen von der Stinkehose bekommen hatte, in dem ein total ekliges Schlangenbuch gewesen war, aber auch Süßigkeiten und eine CD, die sie gar nicht mal so schlecht fand. Und ein Brief, der eigentlich ganz nett war.

Als die Stinkehose in der dritten Stunde den Klassenraum betrat, dachte ich an das Schlangenbuch und musste ein bisschen lachen. Immerhin hatte sie sich Mühe gegeben, das musste man ihr lassen.

»Einen schönen guten Morgen«, begrüßte sie uns. »Ich weiß nicht, wer von euch es mitbekommen hat. Aber am Samstag gab es eine tolle Aktion im Wunschbuchladen.«

Vivi meldete sich und verkündete dann mit quietschig hoher Petz-Stimme: »Angeblich sollten Bücher verschenkt werden, aber das war alles Betrug. Diese

Frau Eule wollte nur Kunden in ihren Laden locken, um ihnen das Geld aus der Tasche zu ziehen. Und mein Papa, der ist Anwalt, und der sagt, das darf man nicht einfach so!«

In meinem Bauch fing es gewaltig an zu grummeln. Sie war gar nicht dabei gewesen und behauptete so einen Mist! Mein Arm schoss sofort in die Höhe, weil ich erzählen wollte, was wirklich geschehen war, doch die Stinkehose kam mir zuvor.

»Wer Frau Eule kennt, weiß, was für ein herzensguter Mensch sie ist. Sie hat alles andere im Sinn, als Leuten das Geld aus der Tasche zu ziehen. Leider konnte ich selbst bei dieser Aktion nicht anwesend sein, doch Freunde von mir hatten beim Verkleiden einen riesengroßen Spaß.«

Ich lehnte mich mit einem Lächeln zurück, denn Vivi wurde immer kleiner in ihrem Stuhl und sagte jetzt gar nichts mehr. Dafür aber Leo neben mir.

»Ich war auch da und fand es super!«, rief er in den Raum. »So viele Figuren aus Büchern, das war echt irre. Und die Idee, genau das für ein Buch zu geben, was es wert ist, war auch total gut.«

Nino und Darius drehten sich um und warfen ihm böse Blicke zu. Lesen war wahrscheinlich das Letzte, was die beiden in ihrer Freizeit taten. Hoffentlich drohten sie Leo jetzt keine Prügel an!

»Echt? Du warst auch da?«, flüsterte ich. »Hab dich gar nicht gesehen.«

»War ja auch viel los«, raunte er zurück.

Nino und Darius drehten sich mit einem Kopfschütteln wieder nach vorne und Frau Rose redete weiter. Huch, hatte ich gerade *Frau Rose* gedacht? Das war mir wohl so rausgerutscht!

»Bevor wir mit dem Thema der heutigen Stunde beginnen, würde ich gerne eure Tagebücher einsammeln. Also nur, wer will, das hatte ich ja gesagt. Ich würde mich allerdings sehr freuen, wenn ihr mich an euren Gedanken teilhaben lasst.«

Bildete ich mir das nur ein oder sah Frau Rose mich mit einem besonders intensiven Blick an? Ich war mir plötzlich gar nicht mehr so sicher, ob ich ihr mein Glitzerheft geben sollte oder nicht. Ich war ziemlich zornig gewesen, als ich alles aufgeschrieben hatte, was mich störte, und vielleicht standen da jetzt Sachen drin, die nicht so besonders nett waren? Immerhin hatte sie gerade Frau Eule verteidigt und bei Lene schien sie sich auch Mühe zu geben. Doch dann musste ich daran denken, wie traurig Lene im

Moment manchmal war. Und daran, dass sie schon wieder eine tolle Aktion im Wunschbuchladen verpassen würde. Trotzig drückte ich Frau Rose mein Heft in die Hand, als sie vor mir stand. Sie beendete die Runde durchs Klassenzimmer und verkündete, dass wir in dieser Stunde über unsere Lieblingsbücher sprechen würden – endlich mal ein Thema, das mir richtig Spaß machte! Als es zur großen Pause läutete, war ich fast ein wenig enttäuscht, denn Vivi hatte so lange über *Holly Pollys magische Reitschule* geredet, dass gar nicht mehr alle drangekommen waren. Ein bisschen hätte es mich ja schon interessiert, was Leos Lieblingsbuch war und als was er sich am Wochenende verkleidet hatte.

Mit meinem Pausenbrot in der Hand (natürlich mit Leberwurst beschmiert) schlenderte ich über den Schulhof und ließ mich auf die Bank fallen, auf der ich oft mit Lene gesessen und den großen Jungs beim Basketballspielen zugeguckt hatte. Ich schob mir gerade das letzte Stück Brot in den Mund, da hörte ich ein merkwürdiges Geräusch. »Pssst!«, machte es hinter mir. Und wieder: »Pssst!«

Ich drehte mich um, doch da waren nur der Zaun und das Gebüsch, die den Schulhof begrenzten, zu sehen. Ich widmete mich wieder den Basketballern, einer warf gerade einen Korb.

»Pssst, Clara!«, zischte es wieder. Und dann: »Autsch, Mist!«

Ich starrte auf das Gebüsch, das nun verdächtig zitterte. Plötzlich fuhr daraus eine Hand hervor und umklammerte eine Zaunlatte. Kurz darauf folgte ein Gesicht.

»Lene?«, kreischte ich.

»Pssst, nicht so laut!«, flüsterte sie.

Ich sprang auf und wusste gar nicht, was ich machen sollte. Es konnte doch nicht sein, dass Lene hier war! »Na los, ich helfe dir über den Zaun«, rief ich begeistert, woraufhin Lenes Kopf wieder im Gebüsch verschwand.

»Es darf niemand wissen, dass ich hier bin!«, raunte sie, und ich hatte Mühe, sie zu verstehen.

»Was sagst du?«, fragte ich leise und kniete mich ganz dicht an den Zaun. Und flüsterte dann überrascht: »Bist du etwa abgehauen?«

»Ja. Sozusagen!« Lene klang zerknirscht.

Mein Herz begann, wie wild zu schlagen. »Und was machen wir jetzt?«

»Keine Ahnung!«, antwortete es aus dem Busch.

»Guck dir das an!«, ertönte da die gemeinste
Stimme, die ich kannte. »Jetzt ist sie schon so verzweifelt, dass sie sich mit Büschen und Sträuchern
unterhält!«

Vivi hatte mir gerade noch gefehlt. Ohne groß
nachzudenken, umfassten meine Hände den Zaun,
und ich zog mich so weit hoch, dass ich mein rechtes
Bein über die Latten brachte.

»Hey!«, rief Vivi so laut, dass es auch der Letzte

mitbekam. »Was soll das? Wir dürfen den Schulhof nicht verlassen!«

Jetzt musste ich mich beeilen. »Lauf schon mal vor«, zischte ich Lene zu, und im Gebüsch begann es, gewaltig zu rascheln. Ich hatte es fast über den Zaun geschafft, da packte Vivi mein Handgelenk. »Hiergeblieben!«, schrie sie. »Frau Rose! Frau Rose! Clara will abhauen!«

Ich versuchte, Vivi abzuschütteln, doch sie hatte einen festen Griff. »Haaaalt«, kreischte sie, als ich mich mit einem letzten Ruck befreite.

Ich sprang über den Zaun und rannte, so schnell ich konnte. Lene war schon ein paar Meter voraus. Wir bogen in eine Seitenstraße und liefen im Zickzackkurs zwischen den Häusern entlang, bis wir völlig außer Atem an einer Ecke stehen blieben.

»Ich glaube, es ist uns niemand gefolgt«, keuchte ich. »Und wenn, dann haben wir sie abgehängt.«

»Danke«, sagte Lene und fiel mir um den Hals. »Und hallo!«

Da standen wir nun und hielten uns schnaufend in den Armen und lachten. Das fühlte sich so gut an wie ein heißer Kakao mit Sahne an einem kalten Wintertag. Oder wie der Moment, wenn man ein großartiges Buch zu Ende gelesen hat und einfach nur glücklich ist.

»Bist du echt abgehauen?«, fragte ich schließlich.

»Ich hab es nicht mehr ausgehalten«, antwortete Lene. »Die Mädchen in meiner Klasse sind so blöd und außerdem wollte ich dich wiedersehen und heute Abend dabei sein.«

»Hast du irgendwem Bescheid gesagt?«, fragte ich.

Lene schüttelte den Kopf. »Das hätten Mama und Papa doch nie erlaubt!«

»Und was machen wir jetzt?« Ich überlegte. »Eigentlich gibt es nur einen Ort, an dem wir in Sicherheit sind.«

Lene sah mich strahlend an. »Der Buchladen.«

Bis zum Buchladen war es zum Glück nicht weit. Wir rannten wie die Wilden, und als wir durch die Tür traten, war es, als hätten wir nach einer stürmischen Überfahrt den sicheren Hafen erreicht. Hier konnte uns nichts passieren.

Frau Eule stand gerade summend auf einer Trittleiter und feudelte ein paar Spinnweben weg.

»Hallo!«, sagte ich und konnte mir ein Grinsen nicht verkneifen. »Ich habe jemanden mitgebracht!«

Als Frau Eule sich umdrehte, fiel sie vor Überraschung fast von der Leiter. »Lene?«, rief sie. »Das ist ja wunderbar!«

Sie kletterte runter und umarmte uns. »Was machst du denn hier? Ach, papperlapapp! Jetzt essen wir erst mal in Ruhe ein Schokotörtchen!« Sie tätschelte Gustaf den Kopf. »Nein, für dich ist das nichts. Aber vielleicht finde ich etwas anderes Schönes.«

Mein Blick wanderte erst zu Gustaf und dann zu Frau Eule. Hatte er etwas gesagt? Und überhaupt, warum hatte er vergessen, unsere Ankunft mit einem Reim zu verkünden?

»Ja, ich freue mich auch!«, sagte Frau Eule dann zu Herrn König. »Das werde ich ihr ausrichten, danke.« Sie lächelte Lene an. »Herr König empfindet es als großes Glück, dich wiederzusehen.«

»Danke«, sagte Lene.

Frau Eule warf mir einen fragenden Blick zu. »Alles in Ordnung, Clara?«

Mir war plötzlich ganz schlecht. »Ich kann Gustaf nicht mehr hören«, sagte ich leise. »Und Herrn König auch nicht.«

»Was?«, sagte Frau Eule. »Das kann doch gar nicht sein! Zeig mir mal deine Hände!«

Ich wusste nicht, was die damit zu tun haben sollten, aber ich streckte sie Frau Eule entgegen. »Wo ist dein Armband?«, fragte sie und strich mir mit den Daumen über die Handflächen.

Seit Frau Eule es mir geschenkt hatte, trug ich das Armband immer am rechten Handgelenk und nahm es normalerweise nie ab. Doch jetzt war es verschwunden!

»Ich weiß es nicht!«, sagte ich und spürte, wie sich Verzweiflung in mir breitmachte. Es war, als hätte mein Hörvermögen plötzlich abgenommen, denn ohne Herrn Königs und Gustafs Geplapper kam es mir gespenstisch still vor in Frau Eules Laden.

Frau Eule holte uns allen ein Schokotörtchen und wir setzten uns auf den Teppich unter der Kinderbuch-Empore. »Mach dir keine Gedanken, Clara«, sagte sie. »Ich bin mir sicher, dass du die beiden bald wieder hören kannst. Sehr sicher. Vertrau mir, ja? Und jetzt bitte keine schlechte Laune deswegen, denn heute ist ...«

»... kein Tag für schlechte Laune, ich weiß«, ergänzte ich. Sie hatte ja recht. Ich sollte mich freuen, dass Lene hier war, und mir über alles andere vielleicht nicht mehr so viele Gedanken machen. Aber warum hatte sich Frau Eule nach dem Armband erkundigt? Als ich danach fragte, winkte sie bloß ab. »Vergiss einfach, was ich gesagt habe, und genieß den schönen Nachmittag mit deiner Freundin. Ihr könnt so lange hierbleiben, wie ihr wollt. Aber stört euch nicht daran, wenn ich ein bisschen rumräume. Es gibt noch einiges zu tun bis heute Abend.«

Ich wurde das Gefühl nicht los, dass Frau Eule mir irgendetwas verheimlichte. Aber heute würde ich bestimmt nicht mehr dahinterkommen. Sie war nämlich schon aufgesprungen und schleppte eine Bücherkiste in ihr Büro. »Wie schön, wie schön«, säuselte sie. »Wiedersehensfreude ist doch die schönste Freude.«

Bevor ich noch länger über die Sache mit dem Armband nachdenken konnte, flog die Ladentür auf. Frau Rose kam hereingestürzt und direkt dahinter Lenes Papa Daniel.

»Schnell, wir müssen uns verstecken«, sagte ich noch, doch es war klar, dass das keinen Sinn hatte.

»Hier seid ihr!«, rief Frau Rose außer Atem. »Wisst ihr, welche Gedanken wir uns gemacht haben?« Doch sie sagte es nicht böse, sondern klang ernsthaft besorgt.

»Lene!«, rief Daniel und kam die Stufen zu uns
hochgesprungen. Dann schnappte er sich seine Tochter und drückte sie so fest, dass sie wahrscheinlich
gar keine Luft mehr bekam. »Mach so was nie, nie
wieder, hörst du?«

Ich konnte Lenes Antwort nicht verstehen, weil
sie nur noch schluchzte. Und auch bei ihrem Papa
war ein Tränchen zu sehen.

»Komm«, sagte Frau Eule, »wir lassen die beiden
lieber allein.« Sie nahm meine Hand und zog mich
zu Frau Rose.

»Das nächste Mal kannst du mir ruhig Bescheid
sagen«, sagte diese zu mir. »Für das Wiedersehen mit
der besten Freundin gelten in meiner Klasse nämlich Sonderregeln.« Sie lächelte. »Da darf man dem
Unterricht fernbleiben und in eine Buchhandlung
gehen, zum Beispiel.«

»Gut zu wissen«, sagte ich. Und dann lächelte ich
auch. Und es war kein aufgesetztes Lächeln, sondern
ein ernst gemeintes.

»Und das gehört dir, oder?« Frau Rose wühlte in
ihrer Tasche und hielt mein Armband in die Höhe.

Am liebsten wäre ich ihr kreischend um den Hals
gefallen. Aber das ging natürlich nicht.

»Danke«, sagte ich, und Frau Eule half mir, das Armband wieder umzulegen.

»Das sind mir die liebsten Geschichten«, rief Herr König. »An denen am Ende alles gut ist!«

Ganz zu Ende war die Geschichte noch nicht. Aber sie war auf einem guten Weg.

Mondscheinschmökern

Eine halbe Stunde später waren auch noch meine Eltern in den Buchladen gekommen, Lenes Papa hatte bei Lenes Mama angerufen und ihr gesagt, wo ihre Tochter war und dass alles in Ordnung sei, und Frau Eule hatte fröhlich in die Hände geklatscht und gerufen, dass heute ein wunderbarer Tag sei. Und so war es auch. Die Erwachsenen hatten besprochen, dass Lene das ganze Wochenende hierbleiben und bei mir schlafen durfte. Und wir konnten zusammen zum Mondscheinschmökern gehen!

Irgendwann warf Frau Eule uns raus, weil sie noch ein paar Dinge vorbereiten musste, doch einige Stunden später, als es langsam dunkel wurde, standen Mama, Papa, Lene und ich wieder vor der Ladentür.

Als wir den Buchladen betraten, sah alles sehr festlich aus. Überall standen Windlichter, die gemütliches, warmes Licht verströmten, und von irgendwoher kam leise Musik. Die Büchertische waren verschwunden, dafür gab es drei Stehtische, auf denen Gläser mit Teelichtern standen und Häppchen mit Lachscreme und Tomatenbutter. Auf dem Verkaufstresen war eine kleine Bar aufgebaut, an der man sich selbst bedienen konnte. Mein Blick wanderte zur Kinderbuchecke, in der ebenfalls ein Tischchen stand. Darauf entdeckte ich Schokotörtchen, Zimtschnecken und Gummibärchen. Ich musste lächeln, weil ich genau wusste, wer Frau Eule bei der Auswahl dieser Leckereien behilflich gewesen war.

Alles sah wunderschön aus und in meinem Bauch breitete sich ein wohliges Gefühl aus. Doch die beste Überraschung hing an den Wänden: Jede freie Fläche war bedeckt mit den Fotos von verkleideten Menschen, die Papa letzten Samstag geschossen hatte.

»Das hast du mir ja gar nicht erzählt«, sagte ich und musste lachen, als ich ein Bild von Oma und Doktor Bernhardt entdeckte.

»Künstlergeheimnis«, schmunzelte Papa.

Es war schon richtig viel los. Frau Eule flitzte zwischen den Regalen hin und her, stellte sich an ihre Kasse, nickte freundlich, schenkte Wein und Limo ein, nahm Geld entgegen und strahlte über das ganze Gesicht.

»Kann man diese Fotos auch kaufen?«, fragte eine ältere Frau, die sich gerade auf einem der Bilder entdeckt hatte. Frau Eule sah Papa fragend an. Ich fand die Idee genial – warum waren wir nicht selbst darauf gekommen? Das würde noch ein bisschen mehr Geld in Frau Eules Kasse spülen. Schließlich brauchte sie jeden Cent, um den Schaden, den Herr Schlurz' Aktion angerichtet hatte, zu beheben.

Doch ausgerechnet mein Vater machte uns einen Strich durch die Rechnung. »Nein!«, sagte er. »Diese Bilder sind unverkäuflich.«

»Was?«, entfuhr es mir. Was sollte das denn?

Da lachte Papa. »Sie dürfen die Bilder einfach so mitnehmen. Aber ich möchte höflich um eine Spende in dieses Sparschwein hier bitten. Für den Erhalt unserer Buchhandlung!« Er zeigte auf das Schwein, das seit der Verkleidungsaktion immer noch dort stand und darauf wartete, gefüllt zu werden.

Frau Eules Augen begannen zu glänzen. »Danke«,

flüsterte sie, sodass es nur Papa und ich hören konnten.

»Wenn es um die Buchhandlung geht, ist mir mein Foto einen Fünfziger wert!«, rief ein Mann und ging feierlich zum Sparschwein. Die anderen Gäste nickten zustimmend und zogen große und kleine Scheine aus ihren Portemonnaies.

Frau Eule war so gerührt, dass sie sich ein paar Tränen aus den Augen wischen musste. Wenn alle das Sparschwein weiter so fütterten, würde es den Laden noch viele, viele Jahre geben.

»Bitte bedient euch!«, rief Gustaf gut gelaunt. »Ein gutes Essen lässt dich vieles vergessen«, reimte er. »Und wenn es dir nichts ausmacht, liebste Clara, lass bitte ein Lachshäppchen für mich fallen.«

»Dieser verfressene Kater«, sagte ich zu Lene, nachdem meine Eltern hinter einem Regal verschwunden waren. »Will auch was von den Häppchen haben.«

»Bitte schön!«, sagte Lene mit einer Verbeugung und warf ihm heimlich eins zu. »Wirklich zu schade, dass ich ihn nicht verstehen kann.«

»Manchmal ist das auch besser, glaub mir«, entgegnete ich und tätschelte Gustaf den Kopf.

»Hey, was soll das heißen?«, fragte er empört. Und dann: »Noch eins! Denn eins ist keins! Und zum Nachtisch Zimtschnecken und Gummibärchen.« Er schleckte genüsslich mit der Zunge über seine Pfote. »Mir knurrt schon seit Stunden der Magen, aber Frau Eule hat mir verboten, mich selbst zu bedienen. Sie will nicht noch mal schlechte Presse bekommen.«

Ich schnappte mir ein Häppchen und ließ es unauffällig unter den Tisch fallen. »Ich glaube, das wird nicht passieren!«

Im Gegensatz zu Gustaf wusste ich nämlich, wer der nette Reporter war, mit dem Frau Eule gestern telefoniert hatte. Und da kam er auch schon zur Tür herein.

»Papa!«, rief Lene und winkte ihm zu. Daniel, Lenes Vater, war nämlich Zeitungsredakteur. Gemeinsam mit seiner Begleitung – natürlich Frau Rose – bahnte er sich seinen Weg durch die Menge der Gäste und stellte sich zu uns.

»Na, habt ihr Spaß?«, erkundigte sich Frau Rose. »Ich werde gleich mal schauen, ob ich etwas Spannendes für unsere Klassenbibliothek finde. Vielleicht mögt ihr mir helfen?«

»Ja, vielleicht«, sagte ich und drückte Lenes Hand. Ich wusste, dass es ihr immer noch schwerfiel, mit der neuen Freundin ihres Vaters zu sprechen. Deshalb war ich umso erstaunter, als sie sagte: »Vielleicht was über Schlangen. Das interessiert die anderen bestimmt.« Und dann kicherte sie ganz leise und ich kicherte mit.

»Verstehe«, sagte Frau Rose mit einem Augenzwinkern und erzählte Daniel von meinem Buchtipp für Lene, woraufhin er schallend loslachte. »Das hätte ich dir gleich sagen können! Lene hatte als Kind sogar Angst vor Regenwürmern!« Er legte einen Arm um seine Tochter und führte sie zu einem der Regale.

Plötzlich stand ich allein da, nur mit Frau Rose-Stinkehose.

»Keine Sorge!«, rief Herr König. »Ihr seid doch schon auf einem guten Weg. Jetzt sprich dich mit ihr aus, schließlich hat das Schuljahr gerade erst angefangen. Willst du dich bis zu den nächsten Sommerferien über sie ärgern?«

»Ich habe dein Tagebuch gelesen«, sagte da Frau Rose, und ich zuckte kurz zusammen. »Es tut mir sehr leid, dass du meinetwegen so einen Kummer hast«, fuhr sie fort. »Das wollte ich nicht. Es gibt wirklich nichts Schlimmeres, als seine beste Freundin zu verlieren, da gebe ich dir voll und ganz recht. Und ich sehe ja, wie wichtig ihr zwei füreinander seid.« Sie nahm einen Schluck aus ihrem Weinglas, das Daniel ihr in die Hand gedrückt hatte. »Ich wünschte, ich könnte es irgendwie wiedergutmachen. Aber ich weiß nicht, wie.« Sie sah mich an, als müsste ich es ihr sagen.

Plötzlich öffnete sich die Ladentür und alle Gespräche schienen schlagartig zu verstummen.

»Raus mit dir, aber sofort«, schrie Gustaf, doch der neue Gast konnte ihn natürlich nicht verstehen.

»Eine Unverschämtheit!«, rief Herr König. »Sich hierher zu wagen.«

Über mein Gesicht huschte ein Grinsen. »Ich hätte da eine Idee, wie Sie das wiedergutmachen könnten«, sagte ich zu Frau Rose und deutete mit dem Kopf zur Tür. »Wir müssten diesen ungebetenen Gast dort loswerden.« Frau Rose runzelte kurz die Stirn, doch dann breitete sich ein verschwörerisches Lächeln auf ihrem Gesicht aus und sie nickte.

Herr Schlurz grüßte feierlich in die Runde, als hätten alle nur auf ihn gewartet. »Einen schönen guten

Abend«, sagte er. »Wollte doch mal sehen, was hier los ist.« Damit ging er wie selbstverständlich zur Bar.

»Willkommen, willkommen«, säuselte Frau Eule und machte eine ausschweifende Handbewegung. »Jeder Gast ist willkommen bei uns. Wie schön, dass Sie da sind!«

Ich sah, wie die Mundwinkel von Herrn Schlurz nach unten wanderten. Mit so einer Begrüßung hatte er wohl nicht gerechnet.

Plötzlich marschierte Frau Rose entschlossen auf Herrn Schlurz zu, der sich gerade ein Glas Wein nahm. Sie tippte ihm auf die Schulter. »Entschuldigen Sie«, sagte sie. »Könnten Sie mir bitte auch noch etwas einschenken?«

Herr Schlurz bekam ganz große Augen. »Aber gerne!«, antwortete er überschwänglich. »Rot oder weiß?«

»Rot, bitte! Ruhig schön voll«, sagte sie.

Herr Schlurz griff nach der Weinflasche und schenkte Frau Rose ein. Dann hob er sein eigenes Glas, um mit Frau Rose anzustoßen. »Darf ich mich vorstellen? Erich!« Er verbeugte sich leicht. Mir wurde ein bisschen schlecht. Was machte Frau Rose denn da?

»Inke!«, rief sie gerade fröhlich und tat so, als würde sie ihr Glas gegen seins klirren lassen wollen. Doch stattdessen schüttete sie den Inhalt mit Schwung nach vorne, sodass sich auf Herrn Schlurz' Hemd ein riesengroßer roter Fleck ausbreitete.

Lene schlug sich erst die Hand vor den Mund und fing dann schallend an zu lachen. Auch ich konnte mich kaum zurückhalten.

Herr Schlurz blickte an sich hinunter und sah dann Frau Rose an. »Das wird ein Nachspiel haben«, zischte er. »Für Sie und für diesen Laden hier.«

»Bitte, tun Sie sich keinen Zwang an«, sagte Frau Rose.

»Das wird ein ganz wunderbarer Artikel über das Mondscheinschmökern«, rief Daniel von hinten und kritzelte etwas in sein Notizbuch. »Wie war noch gleich Ihr Name? Furz?«

»SIE!«, sagte Herr Schlurz wütend. »Haben Sie oder einer Ihrer dusseligen Kollegen mir nicht versprochen, dass eine Anzeige in Ihrem KÄSEBLATT auf jeden Fall Erfolg versprechend ist?«

»Dann geben Sie also zu, dass Sie der geheimnisvolle Anrufer waren, der die Anzeige mit den kostenlosen Büchern im Wunschbuchladen aufgegeben hat?«

»Ich gebe überhaupt nichts zu!«, brüllte Herr Schlurz zornig.

»Na, na, na!«, rief Frau Eule und klatschte in die Hände. »Heute ist kein Tag für schlechte Laune!«

»Ich werde die Polizei rufen wegen nächtlicher Ruhestörung«, polterte Herr Schlurz weiter. »Und wegen unlauteren Wettbewerbs. Und wegen Verstoßes gegen das Ladenöffnungsgesetz.«

Da hob plötzlich ein rundlicher Mann die Hand. »Zufälligerweise bin ich Polizist«, sagte er. »Ich würde Ihnen ja gerne helfen, aber leider bin ich gerade nicht im Dienst. Und außerdem sehe ich hier keinerlei Anlass zur Beschwerde.«

Herr Schlurz konnte nicht mehr, als einen beleidigten Grunzlaut von sich zu geben.

»Friedrich, magst du vielleicht ein paar Fotos von der lustigen Veranstaltung hier schießen?«, fragte Lenes Vater und rieb sich freudig die Hände.

»Aber gerne!«, antwortete mein Papa. Als er in Herrn Schlurz' Richtung kam, nahm dieser Reißaus. »Das wird ein Nachspiel haben«, brüllte er noch mal, als er den Laden verließ.

»Der kommt nicht wieder«, stellte Herr König fest. »Jetzt können wir in Ruhe weiterfeiern.«

»Na da bin ich ja beruhigt«, murmelte ich leise vor mich hin.

»Wieso?«, fragte Frau Rose, die jetzt wieder neben mir stand.

Ich überlegte kurz. Dann sah ich sie grinsend an. »Weil Sie diesen Schlurzfurz von hier vertrieben haben.«

Frau Rose lächelte und streckte ihre Hand aus. »Frieden?«

»Frieden«, sagte ich.

Der restliche Abend verlief ohne weitere Zwischenfälle. Die Leute tranken Wein, aßen Häppchen, blätterten in den Büchern herum, kauften welche ein und fütterten nebenbei noch das Sparschwein. Also genau so, wie Frau Eule es sich vorgestellt hatte. Oder sogar noch besser. Sie strahlte über das ganze Gesicht und tänzelte durch den Laden, strich Herrn König mit den Fingerspitzen über den Rahmen und flüsterte Gustaf etwas ins Katzenohr. Hier und da hatten es sich ein paar dicke Buchstaben und Coverfiguren in den Regalen gemütlich gemacht, die das Geschehen unbedingt aus nächster Nähe beobachten wollten. Aber sie verhielten sich ruhig, und man konnte sie – wenn man es nicht besser wusste – für Dekoration halten.

Da öffnete sich die Ladentür erneut. Ob Herr Schlurz noch mal zurückkehrte? Doch als ich sah, wer da gerade reingekommen war, machte mein Herz einen riesengroßen Hüpfer. Es war Lysann, die Vampirprinzessin vom letzten Samstag!

Sie trug wieder eine Perücke, aber als ich sie jetzt aus der Nähe betrachtete, kam mir ihr Gesicht irgendwie bekannt vor.

»Oh«, rief Frau Eule. »Das finde ich ja toll, dass heute auch jemand verkleidet herkommt! Herzlich willkommen, Lysann!«

Die Vampirprinzessin verbeugte sich kurz und kam dann in meine Richtung.

»Na, das ist aber eine Überraschung!«, sagte Frau Rose plötzlich.

Das konnte doch überhaupt nicht sein!

Hier stand sie nun, Lysann, von der ich gedacht hatte, sie könnte meine neue Freundin werden. Lysann, die ich bei der Verkleidungsaktion im Wunschbuchladen aus den Augen verloren hatte, obwohl ich so gerne mit ihr gesprochen hätte. Doch die Vampirprinzessin war gar kein Mädchen. Lysann war …

»Da staunst du aber, was?«, sagte Leo, und sein Grinsen wurde immer breiter.

»Aber … aber … du bist doch …«, stammelte ich.

»Ein Junge?«, sagte er. »Tja, nicht nur Mädchen finden Lysann toll. Zufällig ist das auch mein Lieblingsbuch!«

In meinem Kopf begann es zu rattern, doch Herr König brachte meine Gedanken auf den Punkt.

»Dann ist deine neue Freundin wohl ein neuer Freund, was?«, rief er begeistert.

Ich dachte daran, wie Leo mir mit Klopsi geholfen und sich eine Ausrede für mein Zuspätkommen hatte einfallen lassen. Wie nett er beim Sport zu mir gewesen war und dass er mir trotz seines verletzten Fußes noch Schokolade geschenkt hatte. So etwas taten nur Freunde, so viel war klar.

Ich blickte von Leo zu Lene und wieder zurück. »Ja«, sagte ich schließlich zu Herrn König, »sieht ganz so aus.«

»Komm, einen Versuch ist es wert«, ermutigte mich der Spiegel.

Ich grinste Leo an und er grinste zurück. »Na los, ich will dir jemanden vorstellen!«, sagte ich.

Wir gingen in die die Kinderbuchecke, wo Lene

sich gerade ein Buch ansah. Ich tippte ihr auf die Schulter. »Guck mal, wer hier ist. Leo, mein neuer Sitznachbar.«

Lene drehte sich um und lächelte. »Hallo, ich bin Lene und habe schon viel von dir gehört.«

»Nur Gutes natürlich«, sagte ich schnell, obwohl das ja nur halb stimmte. Aber das musste Leo nicht wissen.

Den restlichen Abend saßen Lene, Leo und ich auf einem Sitzsack und lasen uns gegenseitig aus unseren Lieblingsbüchern vor. Ich war so glücklich wie schon lange nicht mehr.

»Gute Freunde sind wie Zimtschnecken«, sagte da Gustaf und sprang zu mir auf den Schoß. »Man kann nie genug von ihnen bekommen.«

Das war wahrscheinlich wieder eines seiner schwedischen Sprichwörter. Aber ich konnte ihm nur zustimmen.

Katja Frixe studierte Erziehungswissenschaften und arbeitete mehrere Jahre als Lektorin in verschiedenen Kinder- und Jugendbuchverlagen, bevor sie sich als Autorin und Übersetzerin selbstständig machte. Sie lebt mit ihrem Mann und ihren Zwillingstöchtern in Braunschweig.

Florentine Prechtel studierte in Mönchengladbach, Karlsruhe und Freiburg klassische Malerei und Bildhauerei. Nach künstlerisch spannenden und anregenden Stationen in Berlin, Barcelona und Rom wechselte sie zur Buchillustration für Kinder. Sie lebt mit ihrer Familie in Freiburg im Breisgau.